山海经动物图鉴 · II

koko 绘
赵涵宇 编著

北京理工大学出版社
BEIJING INSTITUTE OF TECHNOLOGY PRESS

版权专有　侵权必究

图书在版编目（CIP）数据

奇兽：山海经动物图鉴. II / 赵涵宇编著；koko 绘. —— 北京：北京理工大学出版社，2019.8（2019.10重印）

ISBN 978-7-5682-7123-3

Ⅰ. ①奇… Ⅱ. ①赵… ②k… Ⅲ. ①历史地理－中国－古代②《山海经》－图集 Ⅳ. ①K928.631-64

中国版本图书馆CIP数据核字（2019）第114166号

出版发行 /	北京理工大学出版社有限责任公司
社　　址 /	北京市海淀区中关村南大街5号
邮　　编 /	100081
电　　话 /	（010）68914775（总编室）
	（010）82562903（教材售后服务热线）
	（010）68948351（其他图书服务热线）
网　　址 /	http://www.bitpress.com.cn
经　　销 /	全国各地新华书店
印　　刷 /	雅迪云印（天津）科技有限公司
开　　本 /	710毫米×1000毫米　1/16
印　　张 /	15.5
字　　数 /	118千字
版　　次 /	2019年8月第1版　2019年10月第2次印刷
定　　价 /	96.00元

责任编辑 / 马永祥
文案编辑 / 马永祥
责任校对 / 周瑞红
责任印制 / 李志强

图书出现印装质量问题，请拨打售后服务热线，本社负责调换

导读

对我们这代人来说，《山海经》是一本既熟悉又陌生的书。我们的童年大多是在各种各样的动漫、影视和游戏作品之中度过的，因此怪兽、神禽于我们而言并不陌生，无论是动画还是游戏，总会零星出现几个名称怪异的动物，当然，最具代表性的就是龙、凤、麒麟、白虎和玄武了。

使用这些怪兽形象的，有许多并非国内的创作者，其作品的背景设计也不都是远古时代或"中国风"很浓重的世界。这些怪兽形象既有科幻背景的机甲造型，也有奇幻世界的拼接动物，但总能带给我们别样的感官享受。可惜的是，这些作品对《山海经》的使用往往是选取几个最具代表性的怪兽，例如食人的怪物穷奇、饕餮等，我们在观看的时候，也只有这个怪兽很酷很厉害的印象，而不会对它所在的世界怎样、环境如何、与什么动物共存一类的问题有所联想。

《山海经》记载的本身就是一个独立而完备的幻想世界，袁珂先生曾说："吾国古籍，环伟瑰奇之最者，莫《山海经》若。《山海经》匪特史地之权舆，乃亦神话之渊府。"虽然历代学者都承认《山海经》为研究古代社会提供了多方面的资料，但也有人认为其中记录的怪兽和神鬼是怪诞不经、无法被证实的。然而正是这份荒诞不经为我们打开了想象之门，让这个神话世界充满了奇思妙想，生动而鲜活。

近年来开始流行"宇宙"世界观的概念，无论是迪士尼的动画片，还是漫威的漫改电影，都在试着将一个个单独的完整的作品串联起来，形成一个庞大的自成体系的宇宙，前作的每一个人物都生活在其中，虽然有可能不曾见面，却在生活的许多细节上相互关联，就像生活在城市两端的人，虽然陌生，但也可能每天都在同一个公交站擦肩而过。

2018年上映的电影《神奇动物在哪里2》中出现了一个中国神兽驺吾，其源头便是《山海经》。当然，这不是《山海经》里的动物第一次在好莱坞大片中亮相，但这些让人惊艳的片段还是向我们透露出一个信息：这些动物基本上与自己的文化背景割裂，变成了炫耀电影特效的一个符号。比如我们提到西方的龙，立即能联想到它们住在阴森的山洞里，守着闪闪发亮的金币和珠宝，会喷火，还会突袭城堡，捉走公主。有了这些基础认知，便会欣赏各种各样的颠覆性改编，比如《驯龙高手》系列。而我们引以为傲的东方龙，我们却说不出它们爱吃什么，住在什么样的地方，有什么样的性格和偏好，因此我们眼中所见只有抽象的形态，而无生动的故事。想想迪士尼动画电影《花木兰》中的木须龙，它是花家的家神，个性张扬却怕事，绝非我们传统的龙神形象，可是看完电影，这条红色的小龙却能给人留下非常深刻的印象。

正因为这样，我们筹备这套书时的设想，就是在《山海经》描画的世界里，像拍纪录片一样，用《动物世界》似的镜头，横扫过一座座山川，寻找到隐藏在山间的动物，用想象力呈现出它们的形态，补上栖息环境和生活习性，依照古籍所记录的山水顺序，让幻想乡中的自然风貌一览无余。

当然，我们也遇到了很多问题。比如《山海经》里有许多人面兽身的山神，或者具有非凡的神力、被各种形式的作品改编创作过的神兽，我们很难把它们纳入奇兽的体系，因为我们更希望展现一个介于真实和幻想之间的世界，那个世界里也有老虎和狼这样现实存在的动物，而长得奇形怪状的那些野兽在这个世界里就如虎狼一般常见，仿佛真实存在过一样。我们希望读者在翻看《奇兽》这一系列书籍时，就像在幻想世界里探险之前阅读一本野外生存手册一样。

为了体现"科学性"，我们把所有的动物做了分类。不同于现代动物学上纲目科属的分类，我们借用了古代的五虫纲思想。《大戴礼记》中有"毛羽昆鳞嬴"五虫，分别代表五类动物。毛虫就是身上被毛的动物，以麒麟为首领；羽虫就是有翅膀、带羽毛的鸟类，以凤凰为首领；昆虫是指带甲壳的动物，除了今天我们熟悉的节肢动物，贝类、螃蟹等水生动物也属于此类，以玄龟为首领；鳞虫便是身上带鳞的动物，包括鱼类和蛇；而嬴虫也称为裸虫，指的是既没有毛也没有鳞，裸露着皮肤的动物，包括青蛙、蚯蚓等等，我们人也属于嬴虫。

除了这五虫以外，在《西游记》中，如来佛祖曾说："周天之内有五仙，乃天地神人鬼；有五虫，乃嬴鳞毛羽昆……又有四猴混世，不入十类之种。"加上孙悟空大闹地府的时候，一口气从生死簿上把猴类的名字都给划了，让猴子成了神话中别样的门类，志怪小说和民间传说中都常见到它们的身影。因此我们把这些神通广大的猴子也单独分了一类，称为禺。

用图画的方式呈现书中描写的动物，虽说有文字依据，却也不能完全照搬。而有的动物现今也存在，例如虎、豹、犀牛等等，它们在原文中不过出现一个名字。但我们有时也会思索，会不会同样的动物，有古今的差异？也许差别不在外形上，而在习性上。在"纪实"的基础上，更要发挥想象，而想象又要合理，其实这不是一件容易的事。

比如人们非常熟悉的九尾狐，在《山海经》里，它还没有那么多神怪，只是四足九尾的大狐狸，凶猛食人。但在后来的《玄中记》中，对狐狸如何修炼进化做了详细的描写，所以我们也采纳了这种补充，令九尾狐的描述更加完善。

《山海经》的世界繁复庞杂，无数形貌奇异的神灵、怪兽、异禽以及神话传说交织在一起，我们这套书很难囊括全部。我们从动物的角度出发，以南山经、西山经、中山经、北山经及东山经这五大山经为基础，选取了172种动物，或是现今仍见，或是玄奇无稽，都以好奇探秘的心态去解构与重构它们，由此形成了这套《奇兽》系列，构建起一个亦真亦幻的奇妙动物世界。

由于《山海经》的版本很多，注释纷繁，各家各派都有独特的看法，于是在不同的版本中，这些奇兽的名字、读音甚至长相都有差异。比如瀖次山上的一种猴子，在一些版本中写作"嚻"，而在另一些版本里则写作"𡀔"，二者的读音也截然不同。为此，我们不得不挑选出一个版本作为标准，将中华书局于2009年出版的"中华经典藏书"系列中的《山海经》作为依照底本，其中没有提到的注音则参考袁珂先生注释的《山海经校注》（上海古籍出版社，1980年第一版）。在具体动物的注音、写法以及原型动物等方面，我们始终秉持着和而不同的观念，接纳多种意见，并希望能将这套书籍做得生动有趣。

目录

鳞门

鲐父鱼	鳠	鱅鱅鱼	箴鱼	鯈鱅	寐鱼	鳣鲔
001	004	008	012	016	020	024

鳈鱼	茈鱼	薄鱼	鳋鱼	豪鱼
028	032	036	040	044

蠃门

黾	活师	鲐鲐鱼
048	052	056

目 录

昆门

大蛇	蠚珧	珠蟞鱼	蠵龟	䰽	鸣蛇
060	064	066	070	074	078

羽门

鴩䳌	嚣	鹒	鹧鸪	象蛇	鹕䳨	黄鸟
082	086	090	094	098	102	106

精卫	螽鼠	鸱鹕	䰾雀	鹢	酸与
110	114	118	122	126	130

目录

毛门

- 居暨 134
- 驿 138
- 天马 142
- 飞鼠 146
- 领胡 150
- 辣辣 154
- 獂 158
- 罴九 162
- 从从 166
- 狪狪 170
- 羚羚 174
- 犰狳 178
- 朱獳 182
- 獥獥 186
- 蛮蛭 190
- 狓狓 194
- 絜钩 198
- 婴胡 202
- 精精 206
- 獦狚 210
- 当康 214
- 合窳 218
- 蜚 222
- 朏朏 226
- 化蛇 230
- 蛮蛭 234

山海经动物图鉴

鳞门
×
兽身鱼纲
×
豕形目
×
鳍鳃科
×
覆鳞属

鲐父鱼

[xiàn]

[fù]

[yú]

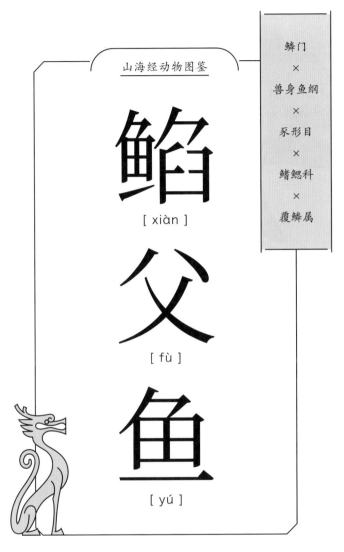

又东三百里,曰阳山,其上多玉,其下多金铜……留水出焉,而南流注于河。其中有鲐父之鱼,其状如鲋鱼,鱼首而彘身,食之已呕。

——《山海经·北山经》

| 幼年鲐父鱼图

| 栖息环境

阳山是留水的发源地,在留水中有种长相怪异的鱼,名叫鲐父鱼。鲐父鱼是一种破坏力极强的鱼类,所有挡住它们前进方向的动植物,都是其破坏目标。当它们成群地在水中游动时,会用凸出的鼻子和獠牙反复推拱河底来寻找食物,无论是藏在淤泥中的动物,还是生长在底部的水藻都可以成为它们的美食。这种觅食方法使得水底生物很难存活,甚至无法再生,所以鲐父鱼在水中并不受欢迎。

| 形态特征

它们极难适应阳光照射,因此经常在水底活动,是一种底栖性鱼类。成年之后的鲐父鱼吻部会逐渐变长变窄,也会长出獠牙。它们的獠牙最长可长到20厘米,是极具攻击性的武器。鲐父鱼全身长满蓝色的鳞片,四肢和背部长有鱼鳍,鱼鳃较为明显。

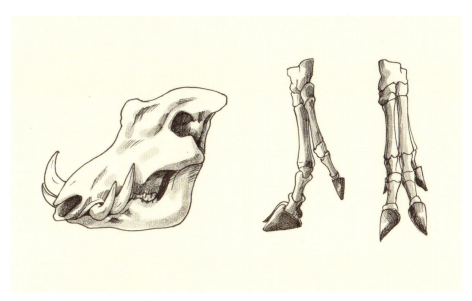

| 鲌父鱼头部（左）及足部（右）骨骼图

| 生活习性

鲌父鱼喜爱温暖的地带，因此在冬季来临前，它们会游上很远的距离去寻找适宜自己的生存环境。为了保证旅途时有足够的体力，它们在秋季会昼夜不分地觅食。这段时间对周围环境的破坏力达到了最大值，秋季的流水极为浑浊，这也是鲌父鱼在水中大肆捕猎的结果。它们一旦进入奔走模式，将不再进食，而是用最快的速度寻找到下一个栖息地点，因此它们通常不会在同一个地方待很久。

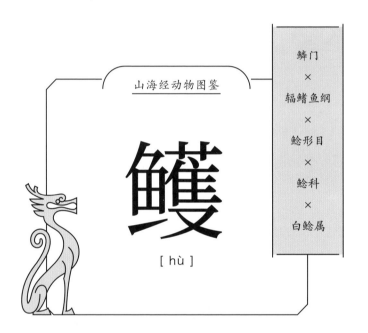

山海经动物图鉴

鳠
[hù]

鳞门 × 辐鳍鱼纲 × 鲶形目 × 鲶科 × 白鲶属

又北百里，曰绣山，其上有玉、青碧。其木多栒，其草多芍药、芎䓖。洈水出焉，而东流注于河，其中有鳠、黾。
——《山海经·北山经》

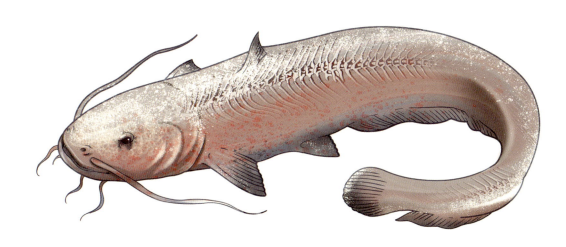

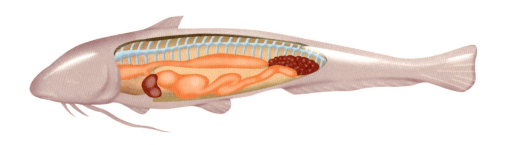

| 鳙的解剖图

| 栖息环境

洧水发源于《山海经·北山经》第三山系的绣山中。水中物产丰富，水温适宜，因此洧水中生活着不少生物。鳙在这片水域中称王称霸，它们与鲐父鱼一样不受欢迎。鳙通常选择生长在水中的树木根部地带作为其栖息地，盘根错节的树根为它们提供了完美的掩护。

| 形态特征

鳙的腭部生长着上万颗细小的牙齿，摸起来感觉酷似磨砂纸。它强大的咬合力可以轻松将食物碾碎。除去腭部的牙齿，鳙的喉咙中也有坚硬的牙齿，以圆圈式紧密排列。

为了配合进食，它们全身都是捕猎的工具。鳙通身没有鳞片，皮肤可以感知到周身的水流变化。敏锐的嗅觉也可以帮助它捕捉到猎物的方向。头顶带有两条长须，底部有四条。六条长须可以探测猎物在游动时产生的尾流，从而准确追踪猎物的方向。

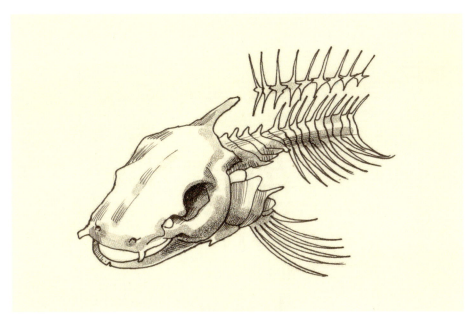

| 鱲的局部骨骼图

| 生活习性

春季的洍水一改冬日的宁静，成群的鱲从冬眠中醒来。雌性鱲将卵甩出体外，雄性鱲则将卵含在嘴里进行孵化，在孵化过程中雄性鱲会停止进食。幼鱲在出生一个星期后就开始自相残杀，身材较小的通常都是被捕食的对象。因此一只成年雌鱲虽然一次可以成功产下几十万颗卵，但成活概率却很低。体型小的鱲会被扼杀在摇篮中，所以洍水里所有的成年鱲体长几乎都在3米以上。它们一旦在一片固定水域内开始繁衍生息，就意味着其他物种可能会逐渐消亡。

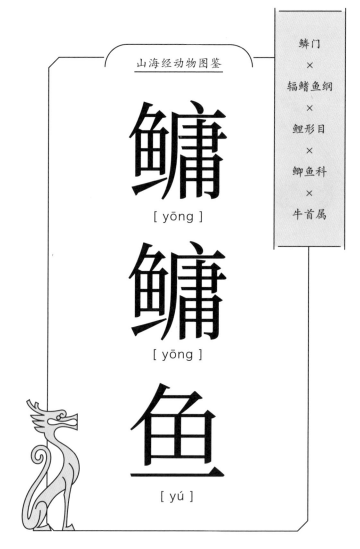

山海经动物图鉴

鳙
[yōng]

鳙
[yōng]

鱼
[yú]

鳞门
×
辐鳍鱼纲
×
鲤形目
×
鲫鱼科
×
牛首属

东山之首,曰樕蟲,北临乾昧。食水出焉,而东北流注于海。其中多鳙鳙之鱼,其状如犁牛,其音如彘鸣。

——《山海经·东山经》

| 鳙鳙鱼全身骨骼图

| 栖息环境

《山海经·东山经》中第一山系的第一座山名为樕䍸山,山中生活着一种鱼类名叫鳙鳙鱼。鳙鳙鱼喜欢栖息在水底乱石堆积的缝隙之间,群居的生活习性让它们的作息时间逐渐统一。

| 形态特征

它们的外形就像名字一样,有些臃肿。肥硕的身材导致其动作缓慢,与其他鱼类在水中游动的速度对比,它们静止浮动的状态显得格格不入。成年鳙鳙鱼的头上长有尖角,鼻子呈现牛鼻状,额头上方有明显的凸起。随着年龄的增长,身上的花纹也会日益明显。

| 幼年鯆鯆鱼图

| 生活习性

山间地势的巨大落差会产生瀑布，瀑布下方的水流较急，水温也低，并不是一个完美的栖息地，但鯆鯆鱼却喜欢在此嬉戏玩耍，这也大大降低了被天敌捕捉的概率。母鱼在产卵后会立刻将受精卵含入口中进行孵化，当额头上的凸起更加明显时，说明母鱼已经开始了禁食行为。一旦开始孵化，母鱼就会躲到石缝中"面壁"。一个半月后母鱼会将孵化成功的幼鱼吐出，此时的幼鱼已经具备了生存能力。

山海经动物图鉴

鳞门 × 辐鳍鱼纲 × 鲈形目 × 剑鱼科 × 剑鱼属

箴
[zhēn]

鱼
[yú]

又南三百里，曰枸状之山，其上多金玉，其下多青碧石……沢水出焉，而北流注于湖水。其中多箴鱼，其状如儵，其喙如箴，食之无疫疾。

——《山海经·东山经》

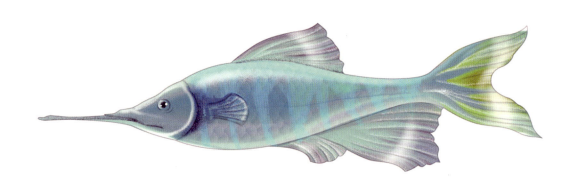

| 箴鱼成长过程图

| 栖息环境

缠绕在枸状山间的溪流骤然泛起层层水波,这标志着水下的箴鱼正在成群结队地完成捕猎。

| 形态特征

箴鱼的颜色五彩斑斓,在不同情绪下,鳞片的颜色也变化多样。在捕猎时,原本青蓝相间的鳞片会变得发黄,用鲜艳的颜色恐吓对手。箴鱼有力的长枪是一件非常具有杀伤性的武器。长枪本身是箴鱼的吻部,上短下长,其间排列着密密麻麻的尖锐的牙齿,会将猎物用力咬合,给予猎物致命一击。

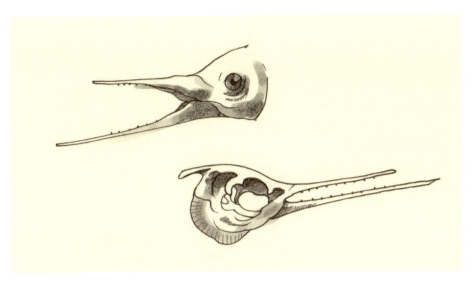

| 箴鱼头部（上图）头骨（下图）构造

| 生活习性

箴鱼并不合群，但它们会在捕猎时与同类协作，分工将猎物赶到一起，然后开始为时几分钟的捕猎行为。它们的游动速度极快，被盯上的猎物很难逃脱它们的追捕。

箴鱼喜欢在温暖地带产卵，通常在水下钻入石堆中等待生产。它们从孵化到成熟之间始终带有营养囊，幼年期的箴鱼吻部还没有长成长枪状，但嘴中已经有了剃刀一般锋利的牙齿，换牙之后会长出同父母一样的刺状牙齿，身上的花纹则并不明显。急速的游动可以帮助他们呼吸，因此刚刚孵化出的小箴鱼会不停地在水中游动，这也为它们日后可以在水中"飞翔"打下了基础。

幼年箴鱼不会因为捕捉不到食物而死亡，天生就是捕猎高手的箴鱼在幼年期就已经开始猎食行为。勤奋的幼鱼白天捕捉小型鱼类及乌贼，晚上在水中不停地游动帮助呼吸。

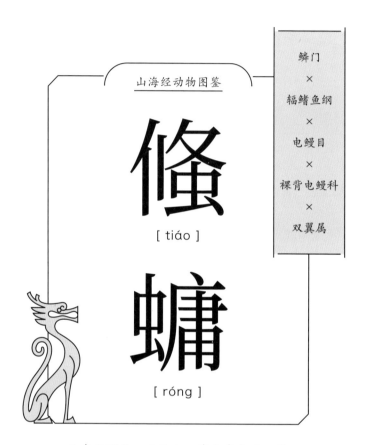

山海经动物图鉴

儵
[tiáo]

蠕
[róng]

鳞门
×
辐鳍鱼纲
×
电鳗目
×
裸背电鳗科
×
双翼属

又南三百里，曰独山，其上多金玉，其下多美石。末涂之水出焉，而东南流注于沔，其中多儵蠕，其状如黄蛇，鱼翼，出入有光，见则其邑大旱。

——《山海经·东山经》

鯈鱅猎食图

栖息环境

《山海经·东山经》中独山上的末涂水水草丰美,是鱼类的天堂。水中大量的微生物给鱼类提供了丰富的养料,同时也引来了捕鱼高手——鯈鳙。

形态特征

鯈鳙和鱼类并不相同,它们有着细长的身躯,在水中游动时靠扭曲身体前行。鯈鳙的尾巴与细长的身体显得很不协调,扁平的形状让尾巴看上去像其头部一般。"双头"的造型成为捕猎时迷惑敌人的有效武器。与鱼类不同,鯈鳙需要每隔几分钟上岸呼吸一次,因此它们的嘴里有无数条吸收空气的毛细血管,肺也长在嘴里。它们的内脏全部聚集在身体前半部分,而后半部分则是鯈鳙最为奇特的地方。

鯈鳙后半身有上千个可以发电的细胞,这成功地帮助它们在这片地带称霸。虽然攻击力很强,但它们不会轻易释放大能量的电流,这样的进攻方式对它们的体能消耗极大。鯈鳙平时只会用微弱的电流探索食物,或者用于同类间的相互交流。在遇到猎物时,它们会用最快的速度追击猎物,咬住猎物后绝不松口,并将身体卷住猎物释放电流,直到猎物无力反抗为止。

生活习性

鯈鳙除了捕食水中的猎物,对陆地上的小型动物也十分感兴趣。鯈鳙上岸后会在距离水面较近的范围内活动,虽然它们在陆地上行动敏捷,但远不如在水中游动来得自在。上岸后的鯈鳙会利用肌肉的收缩来笔直前行,也可以像在水中一样曲线前进——对于不同的猎物采取不同的前行方式,这是鯈鳙的独特技巧。在感到危险时它们会以最快的速度回到水中,并且在一段时间内不再上岸活动。

山海经动物图鉴

寐鱼

[mèi]

[yú]

鳞门
×
辐鳍鱼纲
×
鲱形目
×
鳁科
×
鲥属

又南水行五百里,曰诸钩之山,无草木,多沙石。是山也,广员百里,多寐鱼。

——《山海经·东山经》

寐鱼洄游图

| 寐鱼吻部图

| 栖息环境

《山海经·东山经》中的诸钩山是座砂石之山,植被在这座山中无法存活。只有附近几条河流与诸钩山做伴,河水中生活着寐鱼。

| 形态特征

寐鱼头宽尾窄,呈锥形,背鳍格外显眼。臀鳍与长尾相连,可以让它们在水中灵活地转变方向。

| 生活习性

寐鱼是一种洄游鱼类,它们会在大海与湖泊中来回迁徙。入春之际,成群结队的寐鱼会一同从海中游向淡水进行繁殖。寐鱼将鱼卵产在温暖的淡水湖中,受精卵表层有油性物质,可以漂浮在水面上层自我发育。幼鱼经历几个月的生长期后,跟随成年寐鱼一同长途跋涉返回大海。这种溯河洄游的生存方式,直观地反映了应对时节变化时,动物对环境的不同需求。依靠着寐鱼在附近水域中繁殖,诸钩山偶尔也会有其他动物光顾。

寐鱼平日喜爱栖息在水底的泥沙中,以水下的虫鱼为食。它们会在洄游之前疯狂捕猎,一旦开始洄游便停止进食。在这期间它们仅依靠洄游前储存的能量游动,并且在抵达湖泊后迅速开始繁殖。尽管寐鱼的吻部有过滤系统,可自动过滤出泥沙,提高进食效率,但巨大的体能消耗通常使寐鱼疲惫不堪,因此在开始洄游至繁殖结束期间会有不少寐鱼死亡。

山海经动物图鉴

鳣
[zhān]

鲔
[wěi]

鳞门
×
辐鳍鱼纲
×
鲈形目
×
剑鱼科
×
剑鱼属

又南水行七百里,曰孟子之山,其木多梓桐,多桃李,其草多菌蒲,其兽多麋鹿。是山也,广员百里。其上有水出焉,名曰碧阳,中多鳣鲔。
——《山海经·东山经》

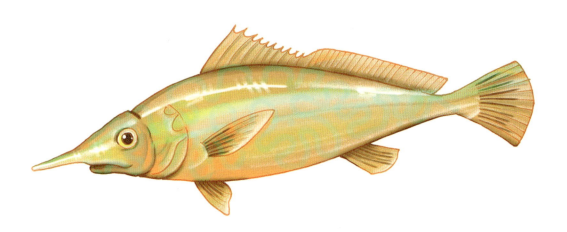

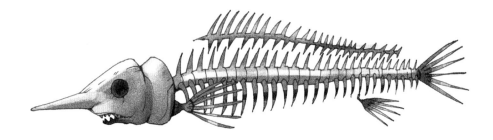

| 鳡鲔骨骼图

| 栖息环境

孟子山是《山海经·东山经》中一座土质肥沃的山丘。山中果树茂盛,绿毡铺地,动植物种类繁多,到处都是生机盎然的景象。

| 形态特征

鳡鲔生活在这座山的碧阳水中。大片的鳡鲔在水中游动时,水面会映出金黄色的光。它们的鼻部较长,能有效地减少鳡鲔在水中游动时的阻力,让它们可以在水中高速前行。它们身体呈流线型,扇形的尾巴用来掌舵,强而有力的尾柄在水中能产生巨大的动力。

| 鳟鲔的不规则鳞片图

| 生活习性

鳟鲔是一种洄游鱼类,它们会在夏天时大举迁徙到冷寂的海水中寻找食物。它们成群结队,以鱼群的方式觅食,同时这也是一种自我保护的方式。

回到大海中的鳟鲔通常都已拖家带口,它们在凉爽的秋季会一同寻找温暖的水域,等待产卵。雌雄鳟鲔生长的速度不同,通常雌性会发育较快,身上的不规则鳞片会较为明显。鳟鲔可以自主调节体温,它们通过自身的肌肉和脂肪组织为自己的大脑与眼部提供血液,保持关键部位的灵活性。但幼鱼无法完全掌握调节体温的技巧,因此鳟鲔会在温暖地带培养幼鱼,直到它们学会关键的生存技能后,再带领它们从湖泊回到海洋。

因为鳟鲔的适应能力强,它们可以顺应不同的环境生存,四季的变化对它们的影响并不大。虽然体型偏小,但能随时保持身体的灵活性和敏捷性,使鳟鲔成了优秀的猎手。

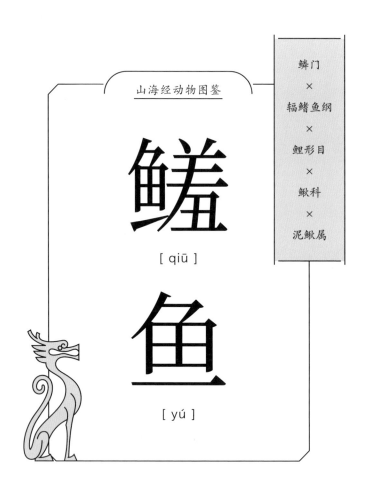

山海经动物图鉴

鳛门 × 辐鳍鱼纲 × 鲤形目 × 鳅科 × 泥鳅属

鳛
[qiū]

鱼
[yú]

又南三百里，曰旄山，无草木。苍体之水出焉，而西流注于展水。其中多鳛鱼，其状如鲤而大首，食者不疣。

——《山海经·东山经》

| 鳝鱼栖息环境图

| 栖息环境

《山海经·东山经》中的旄山中无草无木却不乏生机，苍体水奔腾不息，养育着栖息在山间的生物。鳝鱼依靠着水中提供的环境，成功地在河流的中下游安家落户。

| 形态特征

鳝鱼头部为圆筒形，后端侧扁。全身颜色为金黄色，细长的身形、柔软的身体，加上身体表面丰富的黏液，是它们逃离危险的有利条件。鳝鱼的吻部下方有三对须，可以感受到周围动物的动态，也可以感受猎物游动后留下的尾流。

鳝鱼有两对鱼鳍，头部后方的鱼鳍为左右对称，腹部鱼鳍为上下对称，配合着宽扁的尾部，让它们得以在水中稳定前行。

| 幼年鳝鱼透视图

| 生活习性

鳝鱼是底栖鱼类,喜爱生活在静止的淤泥中。独特的呼吸方法让它们可以适应不同种类的水底环境。鳝鱼不仅可以用鳃和皮肤呼吸,还可以通过肠道来呼吸空气。当淤泥中氧气量不足时,它们会游出水面,用嘴吞入空气,之后让肠壁帮助呼吸,同时从肛门排出废气。在天气炎热时,连续不断的气泡在水面破裂,那就是成群的鳝鱼来到水面进行呼吸的场景。这种特有的呼吸方式能够让他们尽快地适应周围的环境,也扩大了生活范围。

鳝鱼通常在春夏之交时进行繁殖,它们会将受精卵附着在水草上进行孵化。虽然它们产卵的数量庞大,但能够成功逃过被捕食命运的鳝鱼卵数量很少,鱼卵的存活率并不高。

山海经动物图鉴

鳞门 × 辐鳍鱼纲 × 鲤形目 × 鲤科 × 鲫属

茈

[zǐ]

鱼

[yú]

又南三百二十里，曰东始之山，上多苍玉……泚水出焉，而东北流注于海，其中多美贝，多茈鱼，其状如鲋，一首而十身，其臭如蘪芜，食之不𪖌。

——《山海经·东山经》

| 茈鱼头部细节图

| 栖息环境

《山海经·东山经》中的东始山是座"平和"的山峰，山中多是温驯的动物，它们因食用山中一种名叫苊的植物，使得性格十分温和。山中动物也多以植物为食，因此很少能看到追逐捕猎的场景。泚河从这里发源，向东北流去，最终汇入大海。水中生物丰富，贝壳种类繁多，成群的茈鱼生活在这片水域中。

| 形态特征

茈鱼看上去十分诡异，它们用一个身体承载着十条生命。一条为主干鱼，主体部分的器官也更为完整。其余身体看上去更像是附着在主干上，从腹部向尾部无序排列。茈鱼头顶有一块凸起的坚硬鳞片，用于保护处在下方的大脑。茈鱼的身体呈流线型，腹部有两对鱼鳍，背鳍长在凸起的鳞片后方，柔顺有力的尾鳍加上其余九个身体产生的推力，让它们在水中动作十分敏捷。

茈鱼全身为略透明的蓝色，可完美地将自己隐藏在水中，令天敌很难发现自己。

| 苂鱼全身图

| 生活习性

苂鱼是杂食性鱼类,喜爱吃水中的植物或是潜藏在淤泥中的蚯蚓等。它们喜爱集群而游,为了寻找到水草茂盛的浅滩,它们可以持续性地逆流而行,因此它们没有固定的栖息地。

苂鱼会根据季节的不同而进行采食。春季为了繁殖产卵,苂鱼进入进食的高峰阶段,它们会日夜不间断地觅食。作为卵胎生鱼类,苂鱼不会将卵子排出体外,而是在体内完成受精。受精卵会存在母体内,吸收卵黄成为子鱼,之后雌性苂鱼会将已经孵化完成的子鱼排出体外,完成孕育。

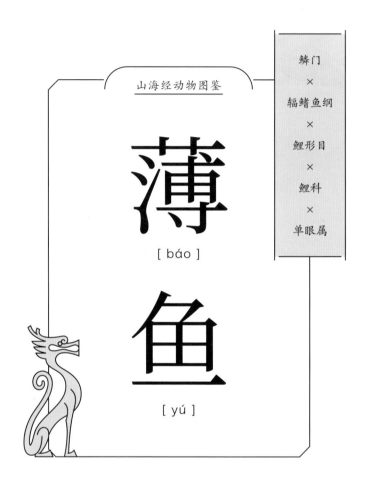

山海经动物图鉴

薄
[báo]

鱼
[yú]

鳞门
×
辐鳍鱼纲
×
鲤形目
×
鲤科
×
单眼属

又东南三百里,曰女烝之山,其上无草木。石膏水出焉,而西注于鬲水,其中多薄鱼,其状如鳣鱼而一目,其音如欧,见则天下大旱。
——《山海经·东山经》

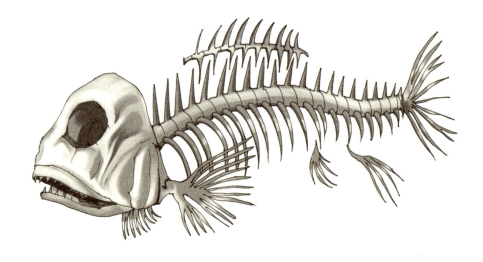

| 薄鱼骨骼图

| 栖息环境

《山海经·东山经》中的女烝山水源丰富，石膏水从山中缓缓流出，注入西边的鬲水。女烝山四季温差大，导致河水的温度不定。大多数动物只在固定的时间来到这片水域生活，但适应能力极强的薄鱼却可以世代生活在这里。

| 形态特征

薄鱼的身体为金黄色，外围由蓝色鳞片覆盖，头部正中央有一只巨大的眼睛。为了弥补只有一只眼睛的缺憾，它们的瞳孔很大，可以360°旋转观察周围的环境。薄鱼看上去木讷，但对周围环境十分敏感。吻部下方的两对鱼须是它们感受周围水域环境的重要工具，不仅可以探测出周围水流的情况，还可以感知温度，并将信息传达给大脑，让它们的身体可以随着水温的变化进行调整。

薄鱼全身包裹着密密麻麻的坚硬鳞片，能够有效地减少其他生物对自身的伤害。硕大的尾鳍不仅成为它们在水中的掌舵手，身体极度柔软的薄鱼还可以灵活地运用尾巴进行攻击，使尾鳍成为它们攻击小型猎物的武器。

| 薄鱼食物图

| 生活习性

薄鱼为底栖肉食性鱼类，它们的食物范围广泛，锋利的牙齿可以轻松咬碎壳类动物。水母是它们的最爱，因为自身对毒性免疫，所以无论何种类型的水母，它们都不会轻易放过。在入冬之前，它们会更加疯狂地对水中生物进行攻击，以获取食物。薄鱼喜爱群居，虽然天生进食量小，但因为具有攻击性，往往会在一片水域内对其他鱼类造成较大的伤害。

在冬季，薄鱼会进入半冬眠的状态。它们会停止大肆捕杀，在水底的石缝中浅眠。这种蓄势待发，是为了第二年春天有足够的体力捕食，然后孕育出新的生命。

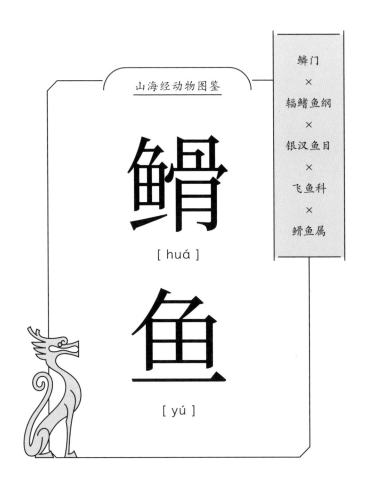

山海经动物图鉴

鳛门 × 辐鳍鱼纲 × 银汉鱼目 × 飞鱼科 × 鳛鱼属

鳛
[huá]

鱼
[yú]

又东南二百里,曰子桐之山。子桐之水出焉,而西流注于余如之泽。其中多鳛鱼,其状如鱼而鸟翼,出入有光,其音如鸳鸯,见则天下大旱。

——《山海经·东山经》

| 鳛鱼骨骼图

| 栖息环境

《山海经·东山经》的子桐山中，溪水交错流淌，气候温和，是动物们栖息的绝佳地带，也是部分洄游鱼类的必经之路。这片水域时常会有鱼群在空中滑行，飞跃在水面之上，这种会飞的鱼名为鳛鱼。

| 形态特征

鳛鱼的胸鳍很长，几乎与它们的身长一样。这些胸鳍的长相如同翅膀，在出水后可借助风力飞行。鳛鱼的身体为流线型，在水中它们会将胸鳍收回身体两侧，用鳍尖小幅度的扇动形成推力，这使得鳛鱼在水中行动十分敏捷。它们会根据水流的方向判断风向，用最快的速度从水中跃出，同时震动扁平的尾鳍，利用尾鳍拍打水面产生的推动力令自己飞出水面，随后依靠风力滑行。当"降落"时，它们只需闭合两鳍，即可钻入水中，这种飞跃让鳛鱼成了水中的飞行能手。

| 鳉鱼入水图

| 生活习性

鳉鱼虽然身手矫健,却面临着巨大的生存威胁。它们是水中一切凶猛的掠食动物眼中的美食,虽然游动速度惊人,却很难摆脱掉天敌。因此鳉鱼另辟蹊径地想出了飞出水面躲避天敌的招数。但即便摆脱了水中的捕食者,水面上依旧有水鸟等动物对它们的生命造成威胁。因此,虽然既会飞行也会游泳,但对鳉鱼来说,天敌的种类也因此随之增加。

鳉鱼为了逃避天敌,选择在夜间外出觅食。它们喜欢游动在水体上层,以捕食细小的浮游生物为生。鳉鱼在春季产卵,将卵附着在水草类植物上,每年都会来到子桐山进行繁殖。它们时而飞起,时而入水,成了春季子桐山溪水中一道亮丽的风景。

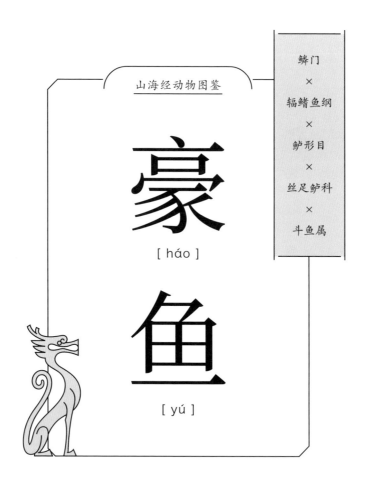

山海经动物图鉴

豪
[háo]

鱼
[yú]

鳞门
×
辐鳍鱼纲
×
鲈形目
×
丝足鲈科
×
斗鱼属

又东十五里，曰渠猪之山，其上多竹。渠猪之水出焉，而南流注于河。其中是多豪鱼，状如鲔，而赤喙赤尾赤羽，可以已白癣。

——《山海经·中山经》

| 豪鱼解剖图

| 栖息环境

《山海经·中山经》中的渠猪山植被丰富,生物多样。渠猪水从这里发源,最终注入南边的黄河。豪鱼穿梭畅游在这条溪水中,色彩艳丽的它们成了水中华美的舞者。

| 形态特征

豪鱼长有红色冠尾,看上去如同鸟类的羽毛。两侧的背鳍呈喇叭状,在水中游动时感觉全身都在随波漂荡,具有一定的观赏性。豪鱼并非一出生就如此光鲜亮丽。刚孵化出来的幼鱼长有背鳍和腹鳍,但尾鳍并不舒展,丝毫没有灵动性。随着年龄的增长,豪鱼除了胸鳍外,其他鱼鳍会逐渐退化直至消失,在这期间尾鳍也逐渐成形,形成最终的成熟形态。

豪鱼可以生活在低氧水中,它们除了与其他鱼类一样用鳃呼吸,还会用大量的血管吸取氧气,因此它们的适应能力很强,在泥沼中也可以生活。

| 豪鱼全身图

| 生活习性

豪鱼天性好斗，社群性较弱，因此它们通常喜爱独居。它们遇到同类时总喜爱相互追逐啄斗，会在角逐开始前分泌一种特殊物质，令自己的颜色更加鲜艳，然后孤注一掷，完成战斗，这种特殊的打斗仪式让豪鱼显得更加迷人。

豪鱼会将这种破釜沉舟的性格带到爱情中。豪鱼追求忠贞的爱情，如果不是两情相悦，坚决不会交配。如果有一方纠缠，它们将会用决斗的方式结束这场追逐。两败俱伤甚至死亡，都是经常发生的事情。

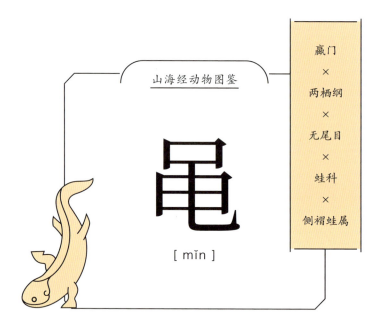

山海经动物图鉴

黾

[mǐn]

蠃门
×
两栖纲
×
无尾目
×
蛙科
×
侧褶蛙属

又北百里,曰绣山,其上有玉、青碧。其木多栒,其草多芍药、芎藭。洧水出焉,而东流注于河,其中有鱯、黾。

——《山海经·北山经》

| 鼍捕猎图

| 栖息环境

鼍与鳢一同生活在绣山的洧水中。鼍之所以可以逃过鳢的捕食,顺利存活下来,主要原因是它们已进化为成熟的两栖动物。当在水中感受到威胁时,它们可以选择上岸生活。

| 形态特征

鼍因为自身没有颈部,所以无法转动头部,但它们的眼睛弥补了这一缺点。眼睛转动的范围为360度,可以帮助它们清晰地看到周围的环境。眼睛的作用并不只有观察,同时还能帮助它们吞咽。鼍进食时不会咀嚼食物,通常都是直接吞咽。在将猎物吃进嘴里的同时,鼍会闭眼,同时将凸出的眼睛压回头部,依靠眼部的挤压完成咽下的动作。

生活习性

龟并不喜爱鸣叫,因此它们选择了另一种看似友好的交流方式——挥手。陌生的龟进入领地时,会与在领地中的龟"挥手",但这并不是打招呼,而是一种恐吓,而对方也会"挥手",代表一种警告。随后,它们会以摔跤的形式决出胜负,决定去留。

龟是天生的远程射手,无论在什么环境下,它们都可以精准地捕捉到猎物。它们的舌根与大多数生物不同,并不在口腔后部。为了增加捕猎距离,龟的舌头生长在口腔前部。龟作为有第三眼睑的生物,在水下可以通过眼睑保护自己的眼睛,在睁开眼睛的同时,不会被水流和细沙所干扰。这也是它们特有的水中生存技能。

龟的喉囊部有火焰状花纹,它们在求偶时也喜欢鼓起喉囊向异性展示花纹,来表现自己的健美。雌龟会静静地聆听来自雄龟的叫声,选出叫声最为明亮的那一只,然后爬到雄龟身边。

产卵后龟会立刻离去,留下受精卵在水中自生自灭,幸运者将成功存活下来。

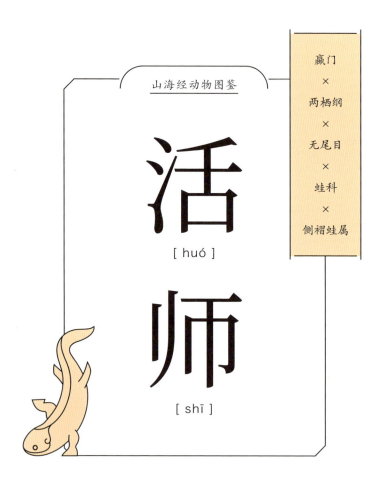

山海经动物图鉴

活
[huó]

师
[shī]

赢门 × 两栖纲 × 无尾目 × 蛙科 × 侧褶蛙属

又南三百里，曰蒿山，其上有玉，其下有金。湖水出焉，东流注于食水，其中多活师。

——《山海经·东山经》

| 活师卵图

| 栖息环境

在《山海经·中山经》中蔼山的湖水里生存着一种两栖动物。它们无法长时间在岸上生活，因此相对于鼋来说，它们并不是成熟的两栖动物。这种动物名叫活师，它们一生中的大部分时间都生活在水中。

| 形态特征

所有活师都要经历一场独特的"变形记"，这是它们成长为成熟活师的必经之路。不同于普通蝌蚪，在活师进入水中的四五周后，它们在水下呼吸的鳃逐渐从两侧向后移动到脑后部，从正面看上去就像完全消失了一样。再经过一段时间可用肺呼吸，这让它们成了标准的两栖动物。它们的肠功能也从只能消化植物转变为可以消化杂物，头部的软骨也逐渐生长为骨头。它与蝌蚪最大的不同点在于，活师会逐渐长大，但不会长出四肢。为了控制在水中游动的方向，在活师的腹部和背上，从头至尾分别长有两条长鳍。

经过这个过程后，活师成为可以任意更换水陆居住环境的两栖动物。

| 普通蝌蚪变形图

| 生活习性

活师永远见不到自己的父母,因为成年活师将卵产在岸边后就会自行离开。这种习性与龟类似,因此我们可以推测活师与龟也许有着千丝万缕的联系。

在岸上活动的活师远不如在水中自在,它们只能依靠蠕动身体向前爬行,腹部的鳍是它们爬行时最大的阻碍。因此虽然它们是两栖动物,但大部分活师会选择在水中生活。它们喜爱用水底的淤泥把自己隐藏起来,就地当作巢穴。这种隐藏技术被活师运用在了捕猎中,它们可以花费很长时间等待猎物靠近。大部分时间里并不能分清活师是在休息还是在捕猎,它们已经完美地将两种行为结合在了一起。

山海经动物图鉴

鯩
[gé]

鯩
[gé]

鱼
[yú]

赢门
×
两栖纲
×
有尾目
×
隐鳃鲵科
×
多足属

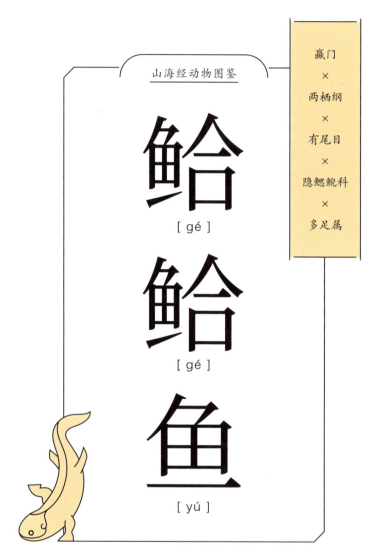

又南水行五百里，流沙五百里，有山焉，曰跂踵之山……有鱼焉，其状如鲤，而六足鸟尾，名曰鯩鯩之鱼，其鸣自训。

——《山海经·东山经》

| 鲐鲐鱼出生图

| 栖息环境

同样生活在深泽中的还有一种名为鲐鲐鱼的两栖生物。虽然它的名字俏皮可爱，长相却十分吓人。不同于居于海底的蠵龟，它们生活在浅滩的石缝当中。当遇到危险时，会迅速扭动身体向深水处游去。

| 形态特征

宽扁的身材让它们看上去略显笨拙，但不管是在陆上还是在水中，它们都可以快速前行。鲐鲐鱼长有六条短足，配合有序便能大大提高自身的爬行速度。它们有着松散有力的羽毛状尾巴，在水中前进时可以产生巨大的推力。鲐鲐鱼喜欢栖息于水草中，蓝绿的配色可以很好地将自己伪装起来。

鲐鲐鱼的活动范围很广，可以在深水中生存，也可以在山林间觅食。它们的脚部有吸盘，可以牢牢抓住自己所攀附的植物。因此对鲐鲐鱼来说，上山下水都是轻而易举的事情。

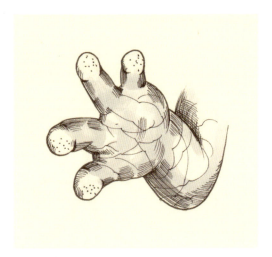

| 鲐鲐鱼掌部细节图

| 生活习性

鲐鲐鱼是夜行性动物,白天会在洞穴中休息,傍晚开始外出活动。它们是伏击的高手,面对猎物,鲐鲐鱼通常会屏息凝视,等待猎物进入自己的狩猎范围。鲐鲐鱼有十分强悍的耐饥饿能力,新陈代谢缓慢的它们可以长时间不进食,冬天时还会在洞穴内进入冬眠状态。

鲐鲐鱼警惕性很高,在洞穴内休憩的时候会将头部冲向洞口,依靠听觉来捕捉洞外的信息。即便是在冬眠中也始终保持浅眠状态,一旦感觉到危险靠近,便会及时醒来,应对突发情况——尽管大多数时候都是选择逃之夭夭。

山海经动物图鉴

大
[dà]
蛇
[shé]

昆门 × 爬行纲 × 有鳞目 × 蚺科 × 巨蟒属

又北五百里,曰敦于毋逢之山……西望幽都之山,浴水出焉。是有大蛇,赤首白身,其音如牛,见则其邑大旱。
——《山海经·北山经》

| 大蛇骨骼图

| 栖息环境

在《山海经·北山经》的幽都山中,经常传来牛叫声,但叫声的来源和牛并没有关系。发出这种叫声的动物时而攀附在粗壮的大树顶端沐浴阳光,时而游走在低潜的草地中间寻找猎物,它们就是幽都山中的王者——大蛇。

| 形态特征

大蛇红色的头部是带有毒性的一种体现。它在恐吓对手或者被激怒的情况下会将前身直立,颈部两边的薄翼也会张开。这种嚣张的姿势并不是虚张声势。大蛇的毒性极强,在上方的两颗獠牙后面分别有两个毒腺,在用牙齿攻击对手的同时它们会挤压毒腺,将毒素喷洒到牙齿上,麻痹对方的神经直至其死亡。大蛇通常会以捕食同类为乐,因此蛇类见到大蛇通常都是闻风丧胆的状态,也尽量不去招惹。

大蛇的感觉器官主要是它的舌头。蛇通常都喜爱吐信子,这是因为它们可以将空气中的气味分子,用舌头传递到嘴部上方的犁鼻器中,犁鼻器再将信息传给大脑。因此它们可以用舌头分辨出猎物的味道,也能用舌头找到需要的水源。

| 大蛇齿部细节图

| 大蛇吻部图

| 生活习性

大蛇虽然并不能生活在水里，但是它们十分喜爱河流。触水后的大蛇可以将身体变为扁平状，颈部的薄翼也会张开舞动，这样的姿势有利于它们趴在水面上游动。

大蛇作为残忍的蛇类，在求偶和交配方面也极其凶猛。雌性会在前行的同时分泌激素，雄性则会根据地上留下的气味寻找到隐藏的雌性，随后对其百般讨好，等待对方的同意。如果雌性不愿交配，那么双方就要进行一场残忍的战斗，直至一方死亡。当雄性找到了已交配的雌性时，它们便毅然将雌性杀死，甚至会吞下尸体泄愤。

山海经动物图鉴

蜃珧

[shèn]

[yáo]

昆门 × 双壳纲 × 贻贝目 × 江珧科 × 蜃珧属

有西南四百里,曰峄皋之山,其上多金玉,其下多白垩。峄皋之水出焉,东流注于激女之水,其中多蜃珧。
——《山海经·东山经》

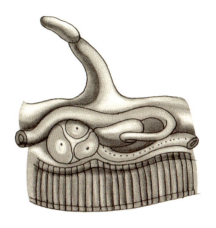

| 蜃珧局部解剖图

| 蜃珧生长过程图

| 栖息环境

《山海经·东山经》中的峄皋山气候温润，山风吹过山谷与浅滩，孕育出了各种各样有趣的动物。山间溪流纵横交错，养育着水中特有的生物——蜃珧。

| 形态特征

蜃珧外套膜分泌出的碳酸钙逐渐形成贝壳，外壳坚固无比，很难从壳外进行破坏。蜃珧大多为三角形，颜色呈深橄榄色，表面有螺旋样式的纹路，用来更好地将自己固定在水底。蜃珧依靠过滤水中的泥沙来获取食物，水中的微生物、苔藓都在它们的取食范围内。

蜃珧长有足丝，尽管看上去十分纤细，但却能带动它们硕大的身躯。当它们决定在一个地方生活之后，足丝就会努力钻入水底沉积的泥沙中，将自己固定。峄皋山的溪水流速缓慢，水温适宜，大量的蜃珧聚集在此处，形成了一片壮观的蜃珧林。许多生物寄居在这片"林海"中，与蜃珧相互依存。

| 生活习性

蜃珧为雌雄异体，它们会将卵和精子排出体外，让它们自行结合。受精卵在水中漂浮，去无定向。幸存下来的幼卵会逐渐长出坚硬的外壳，并像它们的父母一样，寻找到心仪之地后扎根定居。

山海经动物图鉴

珠䗪鱼

[zhū]
[biē]
[yú]

昆门 × 腹足纲 × 异鳃总目 × 蛞蝓科 × 带珠属

又南三百八十里，曰葛山之首，无草木。澧水出焉，东流注于余泽，其中多珠䗪鱼，其状如肺而四目，六足有珠，其味酸甘，食之无疠。
——《山海经·东山经》

珠鳖鱼透视图

| 栖息环境

葛山山脉的起点荒凉诡异。山中没有植被覆盖，但仍有零星的动物在此生活。它们依靠着流淌在葛山中的澧水繁衍生息，水中酸甜可口的珠蟞鱼是它们主要的捕食对象。

| 形态特征

晶莹剔透是对珠蟞鱼外形的最佳形容。不喜阳光的珠蟞鱼通常在白天会躲在水底，因长期接触不到光，色素吸收较少，所以它们全身为略透明的淡粉色。珠蟞鱼有两双眼睛，形状很像触角，可以分散环视周围的生活环境，天性胆小的它们遇到任何突发情况都会立刻将自己隐藏起来。珠蟞鱼有六只脚，但并不用来行走，它们的眼睛和六足生长在身体的同一方向，在游动时依靠六足在水中产生的推动力前行。游动时身体两侧柔软的肌肉会为了减小阻力而随着水流起伏，看上去就像是在水中翩翩起舞，十分美丽。

| 生活习性

澧水的岸边堆积着大大小小的珍珠，那些都是珠蟞鱼的产物。它们会在夜间浮到水面上换气，并吐出体内的"杂物"。长期在浑浊的水底游动，泥沙会进入珠蟞鱼的身体，它们会分泌出汁液将砂粒包裹住，最终形成珍珠。

珠蟞鱼的繁殖期为五月到七月，它们的孕期只有短短半个月。珠蟞鱼从交配后便可以不停地产卵，时间长达100多天。珠蟞鱼通常会将卵产在水底的石缝中，当幼鱼孵化成功后，就已经具备了独立觅食的能力。

山海经动物图鉴

蠵
[xī]

龟
[guī]

昆门 × 爬行纲 × 龟鳖目 × 海龟科 × 蠵龟属

又南水行五百里,流沙五百里,有山焉,曰跂踵之山,广员二百里,无草木,有大蛇,其上多玉。有水焉,广员四十里,皆涌,其名曰深泽,其中多蠵龟。

——《山海经·东山经》

| 蠵龟出生图

| 栖息环境

《山海经》中记录,在跂踵山中有种名为蠵龟的动物,生活在水面沸腾的深泽,也就是海水中。蠵龟多数生活在温暖的海域,它们孵化之后的一生都会在大海中度过。

| 形态特征

蠵龟的体形硕大,成年之后的体重约为刚孵化时的6000倍。其龟壳的边缘为锯齿形。头部长有坚硬的角,缩进坚硬的龟壳后,能避免敌人对自身头部的伤害。蠵龟有张坚硬有力的嘴,可以将喜爱食用的甲壳动物咬得粉碎。

| 蠣龟头部骨骼图

| 生活习性

蠣龟通常会在沙滩的高处产卵,并将卵深埋在沙子下,尽量保证不会被鸟类所捕食。埋卵后雌性蠣龟便会一走了之,将小龟们的生死交给命运来决断。

幼小的蠣龟会在两个月后破壳而出,钻出沙地,凭着本能向水源爬去。这段路程往往不尽如人意,小蠣龟完全没有自我保护能力,甚至连缩壳的动作都不会做。由于其行动缓慢,这往往是捕食者们对它们虎视眈眈的时候。

当幸运的小龟成功抵达海岸边后,它们将开启永不停歇的水中旅行生活,一生中可以在海底游行数万米。蠣龟虽然生活在海中,但仍需要回到水面换气,它们一次最长可以屏息10个小时。小蠣龟因为体重过轻,无法游至深海,又掌握不好换气的时间,所以通常会以漂浮在水面上的海藻作为自己的避难所。

当它们学会灵活地运用脚蹼后,便可以离开水面,去探索未知的海底世界了。

山海经动物图鉴

昆门 × 爬行纲 × 蜥蜴目 × 蜥蜴科 × 犪属

犪

[nuó]

中山薄山之首,曰甘枣之山。共水出焉,而西流注于河。其上多枞木……有兽焉,其状如獃鼠而文题,其名曰犪,食之已瘿。

——《山海经·中山经》

| 虪水面行走图

| 栖息环境

甘枣山是《山海经·中山经》中第一山系薄山山系的第一座山。山中清泉四季涌动，向西注入黄河。山间植物随着时间而更替，永不枯萎。紧挨着水源的泥沙地中有很多大小不一的洞穴，那是虪留下的痕迹。

| 形态特征

虪是甘枣山中的"恐怖分子"，它们身上类似眼睛的花纹通常能吓退对手。它们头部两侧有明显的头饰，如同张开的翅膀。尖长的吻部和灵敏的舌头可以让它们轻松地捕捉到躲藏在洞穴中的小型昆虫。虪四脚带有脚蹼，可以随着周围的环境而自由伸缩，张开脚蹼时甚至可以在水面上自由行走。

细长的尾巴是它们静栖于枝头的得力助手，它们可以灵活地将尾巴卷曲在树枝上以稳住身形，长时间保持静止不动的状态。高超的伏击技巧让它们成了这片山林中的狩猎高手。

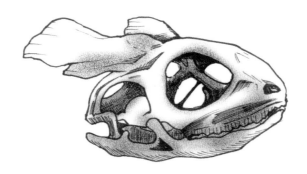

| 貑头部骨骼图

| 生活习性

貑以捕食比自己小的哺乳动物为食,就连自己的同类也不会放过。它们对毒素具有免疫性,因此它们的猎食范围广泛。貑虽然有牙齿,但是并不会咀嚼,大多数时候要靠咬住猎物并甩动头部将猎物撕碎。

貑灵巧的身形使得它们行动敏捷,很难被捕捉,只有细长的尾巴会留下一串痕迹。通常在繁殖季,痕迹会更加明显,这是雌性在尽力留下信号。雄性会根据雌性留下的气味来判断这是否是值得自己追求的对象,但即便雄性尽力讨好,它也不会是雌性的唯一伴侣。雌性会在交配时释放气味,吸引附近更多的异性,因此想要判断貑的父亲究竟是谁,可以说是难上加难。

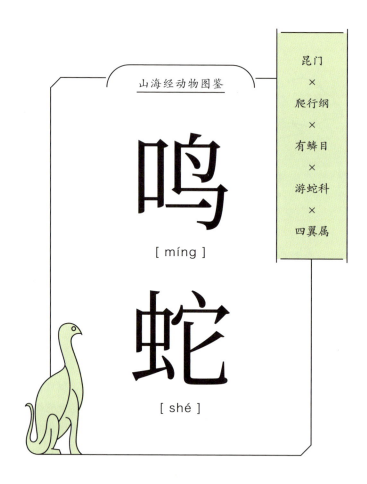

山海经动物图鉴

鸣
[míng]

蛇
[shé]

昆门 × 爬行纲 × 有鳞目 × 游蛇科 × 四翼属

又西三百里，曰鲜山，多金玉，无草木。鲜水出焉，而北流注于伊水。其中多鸣蛇，其状如蛇而四翼，其音如磬，见则其邑大旱。

——《山海经·中山经》

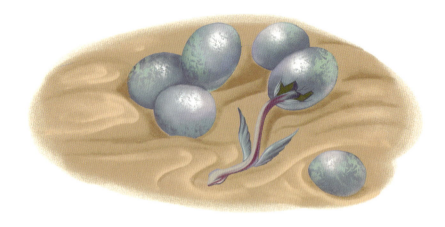

| 鸣蛇卵细节图

| 栖息环境

《山海经·中山经》的鲜山中有丰富的金属和玉石，但却鲜有草木。栖息在这里的动物大多都是外来生物，它们根据鲜水中鱼群的洄游规律来决定自己何时在此栖息。鱼群的到来带来了大批掠食动物，其中包括小型食肉动物——鸣蛇。

| 形态特征

鸣蛇不同于其他蛇类，它们自身带有两对翅膀，可以腾飞于空中，尾部发达的肌肉和尾羽可以控制它们在空中的飞行方向。鸣蛇可以控制尾巴在空中振动的频率，在遇到危险时会发出类似鸣叫的声音，而在捕猎时则可以做到悄无声息地靠近猎物。

鸣蛇长有中空的毒牙，当毒腺挤压出毒素后，会通过牙齿注入猎物体内。鸣蛇的毒性不大，因此它们咬住猎物后不能松嘴，且需不断将毒液注入，直至猎物不再反抗。鸣蛇头部有蛇冠，内部同样存有毒素，除去口腔内部的毒腺以外，头部的毒冠也是它们狩猎的主要武器。

| 鸣蛇尾部图

| 生活习性

鸣蛇喜欢捕食小型哺乳类动物，为了躲避鸟类的攻击，它们选择在夜间出行。灵敏的舌头可以帮它们掌握周围动物的身体温度，只要猎物的体温超过周围环境，鸣蛇就可以完美地锁定方位，展开攻击。

像鸣蛇这种凶猛的捕食者不仅对猎物要百般折磨，对自己的孩子也没有特殊的感情。鸣蛇会将自己的卵产在松散的沙堆上，不进行孵化便自行离开，几个小时后小蛇就可以破壳而出。小蛇出生时带有翅膀和毒素，因此尝过苦头的动物们不会把它们当作自己的食用对象。但鸣蛇喜欢捕食同类，因此会有大批的幼蛇死于成年鸣蛇之手。

山海经动物图鉴

羽门
×
山海鸟纲
×
雀形目
×
鸦科
×
人面属

鳌
[bān]

鹛
[mào]

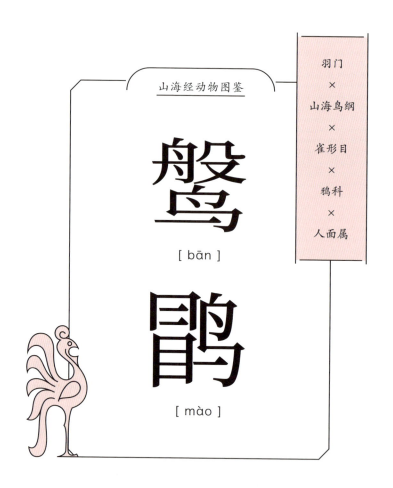

又北三百里，曰北嚣之山，无石，其阳多碧，其阴多玉。……有鸟焉，其状如乌，人面，名曰鳌鹛，宵飞而昼伏，食之已暍。

——《山海经·北山经》

| 鹗䳃骨骼图

| 栖息环境

鹗䳃生活在《山海经·北山经》中第二山系的北嚚山。水源充足、地势广袤的北嚚山，为这种鸟类提供了完美的生活环境。山间耸立着高大的玉石，其上大大小小的石洞成了它们最喜爱的避风港。

| 形态特征

鹗䳃通体为青蓝色，夜幕可给予它们完美的掩护。因此，聪明的鹗䳃通常选择白天在巢穴中休息，待夜幕降临时飞出巢穴觅食。鹗䳃的翅膀展开后是自己躯干的两倍长，中间为半绒羽，四周为正羽，羽毛极为厚重，而支撑庞大翅膀的只有纤细的趾骨。它们的双爪逐渐长成钩形，可灵活地配合大脑给出的动作指令。随着鹗䳃的智商越来越高，其头部构造变得和我们人类差不多。除去鸟嘴的特征以外，面部外貌同人类并无太大差别。

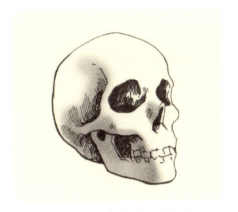 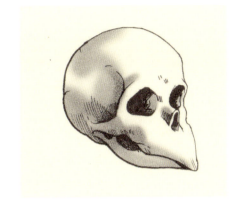

| 人类头骨（左）与鸳鹭头骨（右）对比图

| 生活习性

为了躲避山中的野兽，鸳鹭对石洞的选择极为严苛。它们可以通过对"敌人"的观察，了解其弹跳力和捕食能力。光滑的玉石可以让对手无法找到着力点，而栖息在玉石顶端，便可以增加"敌人"爬上玉石的难度。这样变相地抢占山中制高点的行为，在方便逃脱对手抓捕的同时，也为自己灵活观察猎物提供了良好的条件。

群居的它们懂得如何安全地照顾留在巢穴中的幼鸟与行动不便的同类。在夜间捕猎时，族群中会有负责在石洞顶端瞭望的"哨兵"，会有守在幼鸟周围的"保镖"，同时也会有冲锋上阵的"前线部队"。当一波鸳鹭捕猎回巢后，下一波才会出动，这样的安排可以保证巢穴的绝对安全，不让敌人乘虚而入。作为北嚣山中最聪明的动物，鸳鹭成功地让瘦小的自己进入了山中食物链的顶端。

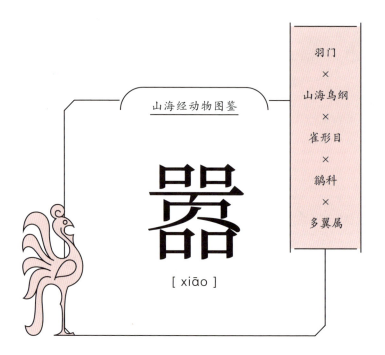

山海经动物图鉴

嚣

[xiāo]

羽门 × 山海鸟纲 × 雀形目 × 鹩科 × 多翼属

又北三百五十里，曰梁渠之山，无草木，多金玉……有鸟焉，其状如夸父，四翼、一目、犬尾，名曰嚣，其音如鹊，食之腹痛，可以止衕。

——《山海经·北山经》

栖息环境

在梁渠山中生存着一种小型鸟类，它们与居暨相抗相生，名为嚣。它们没有巢穴，栖息地遍布整个梁渠山。对于睡眠，它们没有居暨那样面面俱到，通常在选择自己认为理想的休憩环境后，便互相依偎，直立着睡去。

形态特征

嚣是绝对的肉食动物，居暨是它们的最爱。为了对抗居暨，嚣的双爪是它有力的武器——由铠甲般坚硬的鳞片包裹，指甲尖锐，可刺穿猎物的腹部。嚣通常在空中锁定猎物后，瞬间俯冲，用双爪勾住猎物后将其带到空中再掷下，致使猎物被摔死。

嚣拥有一个坚硬的鸟喙，这成了与居暨近战时有效的防御武器。为了干扰对手，嚣的四翼会不停地扇动，但这有时也会给它自身带来麻烦。对于四翼的控制是嚣与生俱来的本事，拥有两对翅膀的它们比仅有一对翅膀的鸟类飞行速度快两到三倍。但它们只能用一条细长的尾巴来控制飞行方向，这使得"偏航"对它们来说就像是家常便饭。一只眼睛，一条纤细的尾巴，让嚣成了鸟类中"晕头转向"的代表。为了提高精准度，嚣需要用很长时间学会飞行。这也是它们一生中最重要的课程。

| 嚣骨骼图

| 生活习性

对嚣来说,夜晚才是一天的开始。热爱群居的它们,在夜幕降临时,成群结队地从聚集地出发,舞动四翼,在山间盘旋着寻找猎物,场景甚是壮观。

虽然嚣并不精通飞行,但是其求偶的行为往往在空中进行。雄性会在异性面前张开四翼持续滑翔,以彰显自己的强大。当它们认定了伴侣之后,便会相伴相守,度过一生。作为不搭巢的鸟类,嚣大部分时候是在地面上休憩。它们会将蛋随意地下在地面上,将捕捉到的居暨身上的毒刺放在鸟蛋周围,起到保护作用。在此期间,雄性作为家中的主要劳动力,需要外出捕猎。而雌性则全心全意守护幼鸟,直至幼鸟学会飞行,才会带着幼鸟和雄性一同外出捕猎,将捕猎的本领传授给下一代。

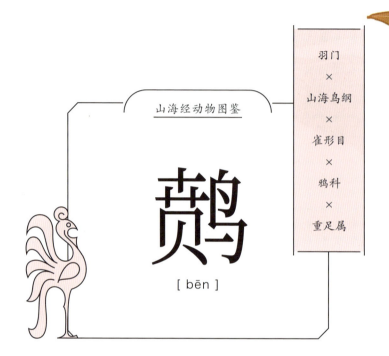

山海经动物图鉴

鹣

[bēn]

羽门 × 山海鸟纲 × 雀形目 × 鸦科 × 重足属

北次三山之首，曰太行之山。其首曰归山……有鸟焉，其状如鹊，白身、赤尾、六足，其名曰鹣，是善惊，其鸣自詨。

——《山海经·北山经》

| 鹋骨骼图

| 栖息环境

与驿一同生活在归山上的，还有一种鸟类，名叫鹋。它们不像驿一样喜爱广阔平坦的地带，对它们来说，山中水源边的树林才是栖息的天堂，湿润的环境和水中丰富的食材，为鹋的生活提供了良好的保障。

| 形态特征

春季来临，大量雄性鹋在林间飞行穿梭，追逐雌鸟。它们在雌鸟周围张开双翼，奋力抖动自己头部纯白色的羽毛，来博得雌鸟的芳心。当两只鹋确定关系后，便会一同搭建自己的巢穴。鹋虽天生有六足，但真正实施抓握动作的只有前爪。因此它们的搭巢效率与一般鸟类相差不多，通常要用10天的时间搭建好自己的巢穴，而后等待产卵。

这时候雄性不仅要外出觅食，回巢喂食，还要担负起打扫巢穴的任务。鹋身体为白色，尾羽为红色。幼鹋刚出生时就可以明显看出羽毛的颜色。随着幼鸟的成长，羽毛的颜色也会越发亮丽。当孵化出幼鸟后，父母会一同外出觅食，此时的小鹋们会挤在一起互相取暖，等待父母的归来。

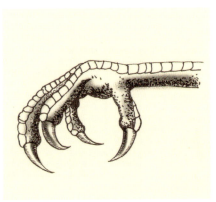

| 鹩前爪图

| 鹩后爪图

| 生活习性

鹩是高度群居的动物，它们以家族为单位繁衍后代。一个鹩群中会有多个家族，分散在不同的树上搭窝建巢。一旦确定了自己的驻地后，任凭环境再恶劣，它们都不会轻易更换。因此，没有意外情况的话，这些家族会世世代代地在一起生活。

鹩有很强的家族观念和团体意识。在父母外出觅食、幼鸟无法离巢的这段时间，有些幼鹩会不慎从巢穴中掉落，这时候其他成年鹩不管这是不是自己的孩子，都会将食物分给它们。不过它们不会将掉落在地面上的幼鸟带到自己的巢穴，因为这也是筛选幼鸟的一种方法——身体强壮的雏鸟能够等到父母回来，而体弱多病的则会奄奄一息，直至死去。

山海经动物图鉴

鶌
[qū]

鶋
[jū]

羽门 × 山海鸟纲 × 雀形目 × 鸦科 × 异色属

又东北二百里，曰马成之山，其上多文石，其阴多金玉……有鸟焉，其状如乌，首白而身青、足黄，是名曰鶌鶋，其鸣自詨，食之不饥，可以已寓。

——《山海经·北山经》

| 鹠鹓巢穴图

| 栖息环境

鹠鹓与天马共同生活在马成山中,它们也是天马捕猎的首要目标。鹠鹓是一种记忆力极强的鸟类,它们甚至可以记住自己固定的生活区域内所有天马的特征,尤其是攻击过本族群的天马,它们不仅会提前躲避,甚至会进行报复。

| 形态特征

鹠鹓的外表与天马一样具有迷惑性,它们拥有一身渐变的蓝色羽毛,这让它们显得柔和亲切。

鹠鹓的喙部十分坚硬,那是它们敲开树木捉取蠕虫的有力武器。它们多选用无果壳的食物,这样方便食用,但这也不代表它们对硬壳食物就束手无策。它们会用灵巧的双爪抓起硬壳食物,在飞向空中的过程中观察周围是否有同类会争抢,在确保周围环境安全的同时估算食物的重量,找准高度将果实投下,以保证壳碎但果肉完整。这种娴熟的进食技巧让它们在鸟类中脱颖而出。

| 鹧鹕爪部骨骼图

| 鹧鹕爪部细节图

| 鹧鹕喙部细节图

| 生活习性

鹧鹕作为智商非凡的鸟类,在哺育下一代上也有着独特的方式。找到伴侣是其生涯中很重要的事情,因为它们一旦寻找到另一半,便会相守度过一生。它们一次可生产4~5枚鸟蛋,蛋壳上带有紫色的斑点,因为颜色鲜艳,长相甜美,所以也是天马喜爱的食物之一。

破壳而出的幼鸟在第一次试飞时通常会因飞行不稳而跌落在地,变成了捕猎者的目标。此时幼鸟只能依靠不远处父母的警告声来判断自己是否面临着危险,如果没有成功逃脱,那么迎接它的只有即将到来的死亡。在实战后成功存活的幼鸟,才会被父母认为是有资格跟在自己身边的孩子,它们会竭尽全力去抚养这些幼鸟,直至它们离开自己,去追寻自己的自由。

山海经动物图鉴

羽门 × 山海鸟纲 × 鸡形目 × 雉科 × 两性属

象蛇

[xiàng]

[shé]

又东三百里,曰阳山,其上多玉,其下多金铜……有鸟焉,其状如雌雉,而五采以文,是自为牝牡,名曰象蛇,其鸣自诏。

——《山海经·北山经》

| 象蛇骨骼图

| 栖息环境

象蛇是一种神奇的动物,它们与领胡一同居住在阳山。阳山中物产丰富,动物种类繁多。低矮的草垛是象蛇最喜爱的居住地,这让它们有一种可以躲藏起来的安全感。

| 形态特征

象蛇同时拥有雌雄两种生殖器官,是名副其实的雌雄同体。它们长有两个脑袋,通常色彩艳丽的为雄性特征,顶部的羽毛为青铜褐色,面部为红色,颈部为蓝色,且有白色颈圈。色彩相对暗淡的为雌性特征,头顶至颈部均为灰色,只有眼圈周围是红色。象蛇的喙无论雌雄都是米黄色,身上的大部分羽毛为褐色,长有灰色的爪子,细长的尾巴在行走时会拖到地上,显得无比华贵。

因为天生有双头,所以双方在第一次遇到意见相左的情况时会通过互啄来解决问题。象蛇通常会用一整天的时间进行打斗,失败的一方将永远听从胜利者的指挥行事。

| 象蛇巢穴图

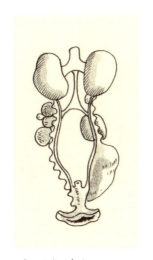

| 象蛇体内器官图

| 生活习性

象蛇通常会选择在春天自行交配,在两周的时间内完成产蛋。由于产蛋期不能离开巢穴,因此在交配之前,象蛇会大量进食,充分摄取食物中的营养成分以补充体能。

孵化完幼崽后,象蛇要迅速找寻食物,来缓解因产蛋和孵蛋而耗费的体能,同时也要找到丰富的食材去喂养巢穴中嗷嗷待哺的小象蛇。多数象蛇父母会因为生产和抚养幼崽而感到疲惫不堪。当幼鸟们离巢后,它们的父母终于可以远走高飞,继续享受美好的"二人世界"了。

山海经动物图鉴

鹄[gū]鹠[xí]

羽门 × 山海鸟纲 × 雀形目 × 鸦科 × 鸦属

又东百八十里,曰小侯之山。明漳之水出焉,南流注于黄泽。有鸟焉,其状如乌而白文。名曰鹄鹠,食之不灂。

——《山海经·北山经》

| 鹕鶋骨骼图

| 栖息环境

在《山海经·北山经》的小侯山中，明漳水缓缓流出，向南汇入黄泽。山间气候湿润，植被密集，一些鸟巢整齐地排列在山间的树林中。这种规则建筑的搭建者拥有超高的智商，它的名字叫鹕鶋。

| 形态特征

鹕鶋是一种优雅端庄的鸟类，它们通身的羽毛黝黑靓丽，白色的云纹点缀其间。尖长的鸟喙能有效帮助它们捕捉躲藏在土地或树木中的昆虫，较大的双爪不仅可以让它们稳立枝头，也提高了建巢的效率。

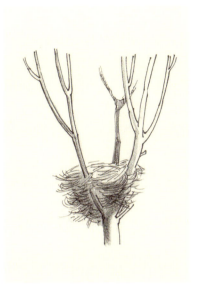

| 鸪鹳巢穴图

| 鸪鹳哺育图

| 生活习性

枝头的鸣叫声预示着春天的到来，鸪鹳的首领在这一天会站在高耸的树上召集成员，它们会用自己独特的语言商议该飞往哪里开启新的一年，并最终在首领的带领下飞往新的栖息地。

抵达栖息地后，鸪鹳便迎来了盛大的求偶仪式。雄性鸪鹳会直冲云霄，边鸣叫边收起双翼旋转着向下俯冲，用这种看似炫技的姿态吸引异性的关注。反复几次之后，通常都会求偶成功，雌雄双方在地面上跳起自己特有的舞蹈，一舞过后，便开始一同搭建巢穴。它们建巢时选择的形状多为三角形，这样有利于巢穴的稳定。因此春天往往是鸪鹳鸟一年中最繁忙的季节。

山海经动物图鉴

羽门 × 山海鸟纲 × 鹆形目 × 鸱鹑科 × 耳羽属

黄鸟
[huáng]
[niǎo]

又东北二百里，曰轩辕之山，其上多铜，其下多竹。有鸟焉，其状如枭而白首，其名曰黄鸟，其鸣自诙，食之不妒。

——《山海经·北山经》

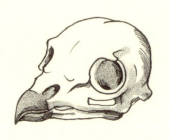

| 黄鸟头部骨骼图

| 栖息环境

《山海经·北山经》第三山系的轩辕山中有种鸟叫黄鸟,它们凭借自己高超的飞行技巧,让自己的足迹遍布各地。便于躲藏的山林和视野辽阔的平地都是它们喜爱的狩猎场。黄鸟对栖息地的适应能力让它们可以随意更换巢穴。

| 黄鸟头部旋转图

| 形态特征

黄鸟的双翼长有独特的飞羽,这让它们在飞行过程中可以悄无声息。几乎没有声音的腾飞让猎物们无法听到黄鸟接近的声音。它们的双眼占据了脸部30%的面积,因此视线范围很广。眼睛能最大程度地聚光,因此在黑暗中会变得极为敏感。这种天生的构造意味着,被黄鸟锁定的那一刻,猎物就已经结束了它的一生。

冬季并不会影响黄鸟捕猎。许多动物会因为寒冷而躲在巢穴中依偎取暖,不再活跃,因此黄鸟不得不在白天继续捕猎,以获得维持生命的热量。白天的黄鸟视线远不如夜间清晰,因此它们会选择依靠听觉捕捉猎物。它们的头部外圈有一层坚硬的羽毛,可以有效地将听到的声音传送到耳朵里。观察到猎物后,黄鸟可以熟练地运用翅膀,将自己悬停在半空中,并转动头部,来确定猎物的准确方位。它们的头部可以旋转270度,从各个不同方向锁定积雪下猎物的方位。

| 黄鸟巢居图

| 生活习性

黄鸟的飞行技巧是它们特有的本领,它们要有极大的勇气和耐心才能学会这项技能。黄鸟喜爱居住在高大的树木顶端。雏鸟在一个月内长好羽毛后,就要在父母的鼓励下面临第一次试飞了。然而这次飞行对它们来说,更多的是学会如何运用双爪。它们要从几百米高的树上一跃而下,在下落的过程中抓住树枝,将自己安全地送到地面上,之后再爬回顶端,反复练习。只有这样,才能让黄鸟们熟练地掌握如何飞行。

山海经动物图鉴

羽门 × 山海鸟纲 × 雀形目 × 鸦科 × 鸦属

精
[jīng]

卫
[wèi]

又北二百里,曰发鸠之山,其上多柘木。有鸟焉,其状如乌,文首、白喙、赤足,名曰精卫,其鸣自詨。是炎帝之女名曰女娃,女娃游于东海,溺而不返,故为精卫,常衔西山之木石,以堙于东海。

——《山海经·北山经》

| 幼年精卫图

| 栖息环境

精卫作为众所周知的一种鸟类,生活在《山海经·北山经》的发鸠山中。相传它原本是炎帝的小女儿,在去东海游玩时溺水身亡,化身为精卫。也许是上天垂怜,让精卫自行怀孕,繁衍生息,逐渐有了自己的种族。关于其族群的形成,至今仍是个谜题。作为极具人类性格的鸟类,它们的灵性体现在方方面面。

| 形态特征

精卫有一身光鲜亮丽的蓝色羽毛,尾巴由两根纤长的羽毛组成。红色桃心状的花纹是尾羽上的亮点。精卫鸟很少用嘴鸣叫,当精卫在空中飞翔时,尾羽相互撞击,与空气产生的摩擦会发出特有的声响。精卫鸟有红色的头冠,与上下狭长的睫毛相呼应,尽管体态娇小,却拥有灵活的大脑。天生的高贵气质,让精卫鸟成了发鸠山中的王者。

| 精卫头部骨骼图

| 生活习性

精卫鸟是一种懂得浪漫的鸟类，它们求偶的方式是分享食物。它们没有固定的交配季节，也不单一地只是雄性向雌性表达爱意。只要看到心仪的异性，便可以将自己捕捉到的食物与它分享。如果异性接受食物，那么双方便顺理成章地成为伴侣。

精卫夫妻的合作捕猎更像是一种游戏，这种游戏被称为食物传递。在捕猎过程中，雄性将猎物在空中传递给雌性。它们飞到雌性的上方，将食物投下，下方的精卫翻身双爪朝上抓住猎物。这样有利于雄性继续捕食。捕猎过程中它们还会互相追逐嬉戏，相伴飞行，观赏周围的湖光山色。开心时，它们甚至会互相碰撞尾羽，发出独有的声音。

| 精卫尾羽图

山海经动物图鉴

羽门 × 山海鸟纲 × 鸡形目 × 雉科 × 长尾属

蚩
[zī]

鼠
[shǔ]

又南三百里，曰枸状之山，其上多金玉，其下多青碧石……有鸟焉，其状如鸡而鼠毛，其名曰蚩鼠，见则其邑大旱。

——《山海经·东山经》

| 蛮鼠巢穴图

| 栖息环境

有一种生活在枸状山的动物名为蛮鼠。蛮鼠的巢穴分布在各个地方，它们没有固定的栖息地。当它们行走距离过长，距离巢穴较远时，就会立刻建造新的巢穴。它们会往来于巢穴之间，寻找当下最舒适的栖息环境。

| 形态特征

蛮鼠有着老鼠一般细长的尾巴、灵敏的耳朵，外貌却和公鸡相似。它们通身为灰色，面部有红色的肉垂，只是没有鸡冠。它们喜爱在夜间外出觅食，在月光的照射下灰色的羽毛闪闪发亮。但奇怪的是，它们并不怕自己暴露，甚至会在捕猎时发出短促的鸣叫声。

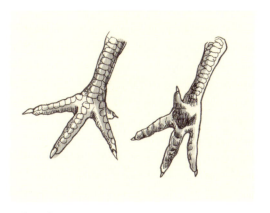

| 蜇鼠爪部图

| 蜇鼠面部图

| 生活习性

本性张扬的蜇鼠有着好斗的性格,在丛林中经常可以听到它们扑打翅膀和喙部互啄的声音,这种声音意味着雄性蜇鼠在为了领地而争斗。通常都是多只雄性蜇鼠一同争夺领地,它们甚至可以为了抢夺地盘而不眠不休地战斗,直到体力耗尽。

蜇鼠在"成家生子"这件事情上十分稳重,它们选择在交配前将家准备好,用树枝建造球形巢穴,再将树叶包裹在外围作为隐蔽措施。一般能在森林中的矮树上找到蜇鼠巢穴的踪迹。蜇鼠不擅长飞行,起飞需要助跑,离开地面的最大高度也只有10米左右。因此搭建巢穴通常会耗费蜇鼠很多体力,在巢穴搭建好之后,它们会在巢穴中睡上一天,来保证自己的体力恢复。之后便开始外出觅食,积攒能量,为日后的繁衍做准备。

山海经动物图鉴

羽门 × 山海鸟纲 × 鹅形目 × 鹈鹕科 × 鹈鹕属

鹅
[lí]

鹕
[hú]

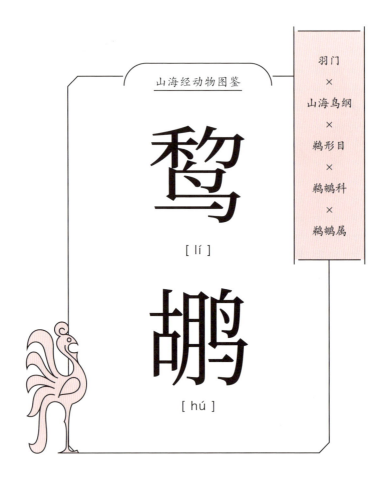

又南三百里,曰卢其之山,无草木,多沙石。沙水出焉,南流注于涔水。其中多䴉鹕,其状如鸳鸯而人足,共鸣自讯,见则其国多土功。
——《山海经·东山经》

| 鹈鹕头部图

栖息环境

《山海经·东山经》中的卢其山是名副其实的荒山,山上没有草木的痕迹,动物们只有在迁徙的季节才会路过这里。沙水为调节卢其山的生态平衡起到了重要作用,水中动植物丰富,陆上没有野兽的威胁,因此大批候鸟会来此繁衍,其中就包括了鹈鹕。

形态特征

鹈鹕的嘴既长又宽,下方的嘴壳与喉囊相连,喉囊可以收缩。硕大的嘴部让它们看上去头重脚轻。细长的脖子支撑着巨大的脑袋,使它们走起路来也是左摇右摆,十分笨拙。鹈鹕在捕鱼时会冲到水中全力捞鱼,将喉囊撑大到极限,连鱼带水一起入口。为了对抗在水上捕食所受的巨大阻力,它们有一双强而有力的翅膀,能让它们在扎进水中捕鱼时速度依旧。

鹈鹕的羽毛短且密集,尾羽的根部带有油脂腺,它们会用嘴沾上油脂,涂抹在自己的羽毛上,用以防水。它们的跗蹠上没有羽毛,表面由细小的鳞片组成,脚趾中带有脚蹼。通常它们会从空中俯冲至水里捕鱼,再灵敏的鱼类都难以逃脱其血盆大口。在离开水面时,它们会用脚掌拨水,同时扇动翅膀,将自己庞大的身躯带向空中。

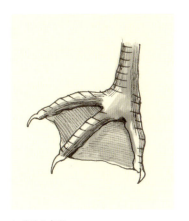
| 鸳鹏爪部图

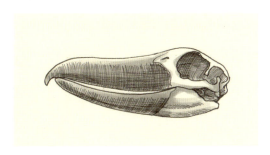
| 鸳鹏头部骨骼图

| 生活习性

鸳鹏喜爱温暖的水域环境,善于飞行的它们会在繁衍之际来到这荒无人烟的卢其山中休养。只要有水有鱼,它们就可以施展自己独特的捕鱼技术。

它们的生活悠闲自在,每天都会定时梳理自己的毛发,沐浴日光,夫妻一同养育自己的后代。鸳鹏确定好伴侣后,终身不会更换。在求偶时为了讨雌鸟的开心,雄性经常会张开双翼为异性跳舞,并且竭尽全力帮助雌鸟打理羽毛。

山海经动物图鉴

魗
[qí]

雀
[què]

羽门 × 山海鸟纲 × 鸡形目 × 混爪科 × 奇尾属

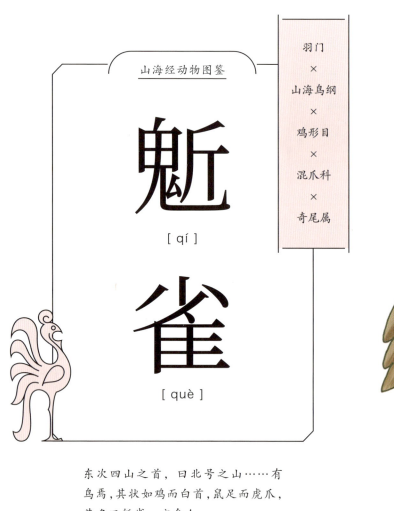

东次四山之首,曰北号之山……有鸟焉,其状如鸡而白首,鼠足而虎爪,其名曰魗雀,亦食人。
——《山海经·东山经》

| 幼年䰾雀图

| 栖息环境

在北号山栖息着一种名为䰾雀的猛兽。虽然䰾雀是一种鸟，但是因为体形硕大，无法将巢穴建在树枝上，所以它们通常都会在错落的巨石形成的缝隙间筑巢栖息。

| 形态特征

这种巨型鸟类头部像公鸡，但与鸡不同的是，它们不管雌雄都会长有头冠。前肢像老虎的脚掌，后肢为尖锐的利爪。为了带动身体飞行，䰾雀的双翼翼展很长，羽翼部分肌肉发达，可以帮助它们垂直起飞。

䰾雀从尾部延伸出一条前粗后窄的尾巴，长度足够保证它们在空中飞行时保持平衡以及灵活旋转。䰾雀的尾巴为半绒羽，可以帮助它们在冬天时保持体温，夏天时部分羽毛会脱落，以加强自身的散热功能。

| 魟雀正羽图

| 魟雀绒羽图

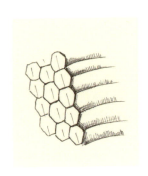

| 羽毛内部结构图

| 生活习性

幼年魟雀自身无法控制体温，因此需要母亲的耐心呵护。幼雀的羽毛与身体颜色相同，羽翼肌肉也并不发达，因此遇到危险时只能依靠前肢进行简单的反抗，杀伤力不大。在幼雀完全成熟之前，雌性魟雀几乎寸步不离。魟雀不喜群居，因此孵化后只有一只雌鸟照顾幼鸟。它们会在生产前尽力捕捉猎物，并将带回的食物藏在挖好的深洞中，这些洞一般就在巢穴周围，以便它们在无法外出觅食时也能及时为自己和孩子补充体能。

山海经动物图鉴

鹖

[hé]

羽门 × 山海鸟纲 × 鸡形目 × 雉科 × 长尾属

中次二山济山之首,曰辉诸之山,其上多桑,其兽多闾麋,其鸟多鹖。
——《山海经·中山经》

| 鹖蛋的生产地

| 栖息环境

《山海经·中山经》的第二山系为济山山系,辉诸山为该山系的第一座山。山间绿草如茵、桑树林立,成群的闾和麋鹿栖息在这里。它们时常能听到一群不太安静的邻居在林间吵闹的声音,这群邻居名叫鹖,是一种天性好斗的鸟类。

| 形态特征

鹖的羽毛颜色层次分明,上层为乳白色,中间为青绿色,底层为黑灰色。它们在空中飞翔时,细长的尾羽随之翩翩起舞。飞行时它们也会不停地旋转展现身姿,这种张扬的姿态令其他鸟类略显逊色。

鹖的喙部坚硬,上喙比下喙长,并且带有倒钩,这有利于它们捕捉躲藏在洞穴中的小型昆虫。在对战时,鹖的喙部将成为有力的作战工具。除喙部外,鹖的双爪也十分锋利,它们的双爪为常态足,指甲尖锐,可以轻松划开动物的皮毛,当然也包括它们自己。由于打斗之后的伤口很难愈合,你时常能看到带伤的鹖在林间飞行。

| 鹛的食物图

| 鹛喙部细节图

| 生活习性

作为群居性动物，鹛的群体由一只雄性鹛带领，团体内的其他成员多为它的伴侣和孩子。如果有其他雄性进入它的领地，它会用尽全力驱赶，来保护自己的领地和地位。鹛喜欢栖息在灌木中，初春至初夏是它们产卵的高峰季。它们会寻找安全的产卵地，多是把蛋产在草丛下方的天然浅窝中，并且长期看守。

在孵化的这段时间，雄鹛要全力服务于自己的妻子，担负起保护成员、外出觅食与整理鹛窝的责任。直至鹛蛋孵化完成，小鹛能够跟随团体一起飞行时，雄鹛才可以卸下这沉重的担子。

山海经动物图鉴

酸
[suān]

与
[yǔ]

羽门 × 山海鸟纲 × 鸽形目 × 鸠鸽科 × 异尾属

又南三百里，曰景山，南望盐贩之泽，北望少泽，其上多草、诸𦬊，其草多秦椒，其阴多赭，其阳多玉。有鸟焉，其状如蛇，而四翼、六目、三足，名曰酸与，其鸣自詨，见则其邑有恐。
——《山海经·北山经》

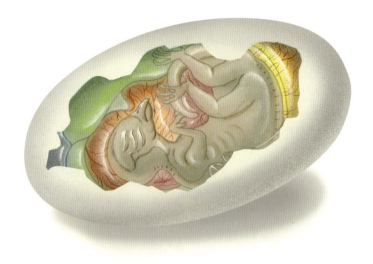

| 酸与蛋内部结构图

| 栖息环境

《山海经·北山经》中物产丰富、山清水秀的景山中，生存着一种可怕的鸟类，名叫酸与。它们飞翔在各山之间，每次出现就预示着将有灾难发生。山间的动物看到它们，或者听到它们的叫声，都会立即逃之夭夭。酸与作为不喜群居的动物，不仅被其他动物排斥，甚至同类都不愿意在同一处栖息。

| 形态特征

酸与的长相十分诡异，天生有三对狭长紧密的紫眸。不仅天生六目，还可以同时分散看到不用的方向。酸与还有两对翅膀，翅膀张开的宽度是身长的两倍，这有效地增加了它们的飞行距离。酸与令人毛骨悚然的原因除了引来灾难，还有它们那奇诡异形的身体。它身体的前半部分像鸟，后半部分又长有蛇尾。在地面上可依靠三足行走，还可以将身体向后倾斜，前身重量完全交托给蛇尾，在地面上匍匐前进。在爬树寻找食物时，尾巴同三足一起配合，能将身体稳稳地固定在树干上。在捕猎时，酸与可以用尾巴将猎物卷住，尾巴的力量极大，足以让猎物窒息。粗壮有力的尾巴也可作为弹跳的工具，给予猎物有力的冲击，提高酸与捕食成功的概率。

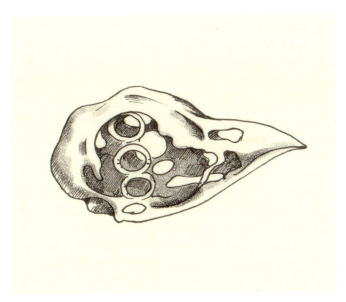

| 酸与头部骨骼图

| 生活习性

作为鸟身蛇尾的动物,酸与的孵化过程与鸟类完全不同。它们不用搭建巢穴,即使面临生产,也不会去树上找安全隐蔽的地方。它们会在地面上选择自认为舒适的环境,顺利将蛋产下。酸与会用尾巴包裹住蛋,这样产生的温度更加适宜于雏鸟的孵化。一胎一枚的生产数量,让酸与走到哪里都可以带上自己的孩子。通常在孵化的过程中,酸与会本能地用三足在地上行走,尾巴高高翘起,中间包裹着自己的孩子,直至孵化完成。

山海经动物图鉴

居暨

[jū]

[jì]

毛门 × 山海兽纲 × 猬形目 × 猬科 × 猬属

又北三百五十里，曰梁渠之山，无草木，多金玉。脩水出焉，而东流注于雁门。其兽多居暨，其状如彙而赤毛，其音如豚。

——《山海经·北山经》

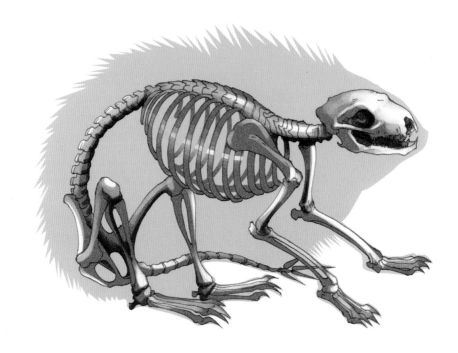

| 居暨骨骼图

| 栖息环境

在《山海经·北山经》第二山系的梁渠山中，可以看到许多玉石洞口被玉石的碎片、碎块堵得严严实实，这并非玉石的正常生长现象，而是一种名叫居暨的生物为自己搭建的巢穴。

| 形态特征

居暨的感观判断基本依靠嗅觉和听觉，在锁定猎物后，上下两对锋利的牙齿可以快速撕碎猎物，然后开始进食。居暨浑身长满密密麻麻的刺，尾部有极为锋利的倒刺，这些刺因包含毒性而呈现出浅红色。它们会熟练运用身上的刺保护自己，在感到危险时，会将自己缩在硬刺中，左右甩动尾巴，并发出叫声，向敌人展示出自己的杀伤力。尽管叫声像没有成年的小猪，但确实可以给对手以威慑。在自卫方面，居暨绝对称得上是高手。近战时它们会将尾巴甩向对手，增加攻击性，被刺扎伤的动物会立刻中毒丧命。

| 居暨尾部骨骼图

| 居暨面部图

| 生活习性

居暨的巢穴中也会有玉石碎片堆积，以此作为它们睡觉的地方。居暨对环境温度和睡眠时长有着极高的要求，是居住在巢穴中的贵族。其睡眠时间大约可以持续半年，当它们认为睡眠的环境温度将令自己感到不舒服的时候，就会为了长达半年的睡眠而着手做准备。

除去睡觉，居暨的其他时间几乎都在"旅行"。居暨腿不长，却是长跑的高手，每天的活动路程可以达到一两千米。为了掩盖自己的行踪，它们会舔舐自己的肩膀，用独特的方式去除自己身上的气味，让对手无处追寻。同时对于味道极大的东西也会敬而远之，以防身上沾到味道，不好清理。

在居暨的一生中，没有永久的陪伴，它们始终以独立的个体自己生活，独自摸索生活的规律，感受着自然带给他们的危险与快乐。

山海经动物图鉴

驿

[hún]

毛门 × 山海兽纲 × 偶蹄目 × 鹿科 × 多角属

北次三山之首，曰太行之山。其首曰归山，其上有金玉，其下有碧。有兽焉，其状如麢羊而四角，马尾而有距，其名曰驿，善还，其名自讯。

——《山海经·北山经》

| 驿头角生长图

| 栖息环境

《山海经·北山经》中第三山系的第一座山,名叫太行山,太行山的起始叫归山。秋季的归山,此起彼伏的"驿"声不断从山间传出,这标志着山中的动物——驿开始了它们一年一度的求偶仪式。这种动物的叫声与它的名字相同。

| 形态特征

驿的头上长有四角,作为一种天生好斗的动物,它无时无刻不在用四角战斗着。这种天性在争取交配权时展现得尤为淋漓尽致。如果运气不好,一些驿甚至会在这场战役中丧失性命。

成年驿可以在入冬前将皮毛自动更换成足以抵御冬季严寒的长毛,背部也会长出鬃毛,将自己全方位地包裹住。但幼年驿只能依靠绒毛过冬,如果无法熬过漫长的冬天,那么等待它们的就只有死亡。在此期间,母亲要竭尽全力寻找食物,分泌乳汁,让幼崽有充分的能量度过冬季。驿的蹄子为两瓣式,且指甲较长,以便于它们扒开厚重的雪层寻找食物,帮助它们度过寒冬。

| 驿角部细节图

| 生活习性

雄性驿在求偶前会进行决斗,胜利者可以获得交配权,这意味着它们赢得了几十个"妻妾"。它们在发情期会发出鸣叫声,其音量足够吸引自己所在领地的雌性。雌性几乎在同一时间受孕,此时它们会自觉成为一个群体离开雄性,去往空旷的地带寻找合适的"产房"。而雄性因为长时间的战斗和交配,在雌性离开后会感到筋疲力尽,它们会尽快寻找食物补充自己的体能,来对抗即将来临的漫长冬天。

| 驿蹄部细节图

雌性要赶在冬天来临前找到合适的产房,准备迎接新生命的到来。幼崽可以在一个小时内学会站立,几天后就可跟上母亲的步伐。幼崽初期的毛发为深蓝色,随着年龄的增长会慢慢变为明亮柔软的蓝色。

春季到来后,雌性便要带着小驿们踏上漫长的迁徙旅程,淌过山间的溪水,游过湍急的河流,去寻找雄性伴侣。而雄性也要各自回到营地,等待着自己妻儿的归来。

山海经动物图鉴

天
[tiān]

马
[mǎ]

毛门 × 山海兽纲 × 奇蹄目 × 马科 × 带翼属

又东北二百里，曰马成之山，其上多文石，其阴多金玉。有兽焉，其状如白犬而黑头，见人则飞，其名曰天马，其鸣自训。

——《山海经·北山经》

| 天马骨骼图

| 栖息环境

《山海经·北山经》里第三山系的马成山中有一种相貌英俊的动物,名为天马。虽然唤作天马,但是它的形象与狗更加相似。马成山中奇石甚多,山的北面有许多金子与玉石。天马通常用玉石搭建成巢,并栖息在此。山中水源稀少,但足以满足天马对水的需求。马成山植被丰富,植被中所含的营养和水分可以为天马提供日常所需。

| 形态特征

天马通身有蓝黑色的羽毛,并长有双翼,身上有闪电状的橙黄色花纹,与瞳孔的颜色一致。尾巴如卷云般流畅舒展,这有利于它们在空中掌握飞行的方向。天马的脚掌上有柔软的掌垫,马成山中随处可见破碎的玉石和金属,掌垫的存在有效地保障了天马脚掌的安全。

它们的外貌天生带有威慑力,又总以嘶鸣来表达自己的心情,因此会给山中的其他动物带来不小的压力。

| 天马爪部图

| 天马羽毛图

| 生活习性

虽然外表令人敬畏,但实际上天马是一种胆子很小的动物,因此喜爱群居。它们对外界环境相当敏感,感觉到危险时就会立刻展翅飞走,这种胆小的性格甚至影响到了它们睡眠的姿势——天马多数时候喜欢站立着入睡,只有在感到十分安全的环境中时,才会选择卧姿入睡。它们真正深度睡眠的时间很短,一般不超过两个小时,总体的睡眠时间也不会超过六个小时。天马作为群居动物,有很强的阶级观念。天马群通常会以一只雄性天马作为首领,由它与自己的妻子儿女共同组成。在小天马们成熟之后,雄性小天马不会与自己的父亲争夺统治权,它们会离开哺育自己的父母,到更广阔的天地去组建属于他们自己的家族群。它们可以自立门户,或者去寻找已经结成群体的天马群,向其首领挑战,一举成为这个家族群中的统治者。

山海经动物图鉴

飞
[fēi]

鼠
[shǔ]

毛门 × 山海兽纲 × 啮齿目 × 鳞尾松鼠科 × 兔面属

又东北二百里，曰天池之山，其上无草木，多文石。有兽焉，其状如兔而鼠首，以其背飞，其名曰飞鼠。
——《山海经·北山经》

| 飞鼠进食图

| 形态特征

飞鼠通常会在树林间穿梭,它们飞行的工具可以靠肌肉力量随时缩回到身体两侧。其四肢很长,这使得平日藏在手腕和脚踝之间的皮毛可以最大限度地舒展开,成为自己滑翔的翅膀。它们只需要扭动一下身体,便可以打开这个飞行工具。飞鼠在"着陆"时也有自己独特的技巧——迅速聚拢四肢,身体后倾,将自己打造成一个灵巧的降落伞,这种姿势起到了完美的缓冲效果。为了配合飞行,飞鼠长有一条扁平的尾巴,在空中不仅可以完美地运用气流,还是一个灵活的转向工具。

飞鼠有一双长耳,它们可以通过听觉来观察附近生物的动向,这是它们保护自己的有利武器。飞鼠听到危险信号时就会迅速逃离,往往鸟类还没有行动,飞鼠便已经消失得无影无踪了。

| 飞鼠头部骨骼图

| 飞鼠食物图

| 栖息环境

《山海经·北山经》的天池山中有一群橙黄色的精灵,名叫飞鼠。它们并不栖息于此,但却在这座山中被记录下来。飞鼠本身的生活环境与无草木的天池山完全不同,但因飞行能力很强,附近的山林中都会有它们的身影。

| 生活习性

飞鼠由于体型娇小,经常成为捕猎者的目标。为了保障自己的安全,它们白天会在树洞中休憩,躲避天敌,在夜里才外出行动。它们猎食的范围很广,昆虫、蘑菇、水果、坚果都是它的最爱,因此飞鼠选择的栖息地通常要靠近水源,并有足够的食物供给,这样它们便会长期居住于此。

山海经动物图鉴

领
[lǐng]

胡
[hú]

毛门 × 山海兽纲 × 奇蹄目 × 异丑科 × 带瘤属

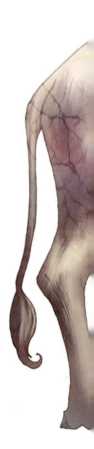

又东三百里，曰阳山，其上多玉，其下多金铜。有兽焉，其状如牛而赤尾，其颈𦜉，其状如句瞿，其名曰领胡，其鸣自詨，食之已狂。

——《山海经·北山经》

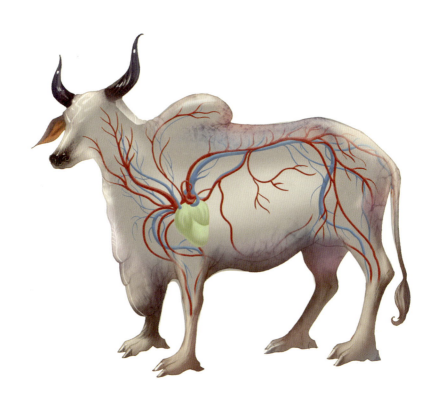

| 领胡身体内部血管图

| 栖息环境

《山海经·北山经》中的阳山,地势平坦、气候适宜,是众多动物选择的栖息地。陆地上植被较多,其中有领胡最喜爱的草本植物。阳山的四季变化较为明显,但只要找到生存规律,在这里生活下去就不是难题。

| 形态特征

领胡晶莹透亮的毛发在阳光的照射下绚丽多彩,颈部复杂的褶皱展现出良好的肌肉发育,这也使得颈部类似图腾的花纹显得尤为明显。最醒目的是身上的肉瘤——背峰,那是它们储存脂肪的地方,在寒冷的冬天是它们最为重要的能量补给站。领胡对于水的需求量很低,可以长时间不饮水;在背峰的帮助下,也可以连续数日不进食。这样有利于它们度过漫长而寒冷的冬天。

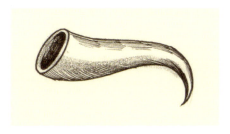

| 领胡头角细节图

| 领胡掌部细节图

| 生活习性

春天到来后，领胡也开始褪去过冬时厚重的外衣。它们在草地中打滚，加快冬装的脱落，并迅速找寻食物，储备体能，来迎接即将诞生的生命。雄性领胡会在草地上挖坑，以打滚来展现自己的力量，并且吓退情敌。它们有时甚至会为了争夺雌性而不惜生命，相互间大打出手，一定要决出胜负——只有最强壮的领胡才可以优先挑选配偶，完成交配。

领胡的家庭内关系融洽，雌性对自己的幼崽更是关怀备至。冬天，小领胡会和妈妈一起在积雪中寻找食物。领胡妈妈们会先用鼻子将积雪拱开，以便子女们更容易找到干草。此时的领胡已经穿好厚重的冬衣，有效控制住热量的消耗。但即便这样，还是会有不少领胡冻死在寒冬期。

山海经动物图鉴

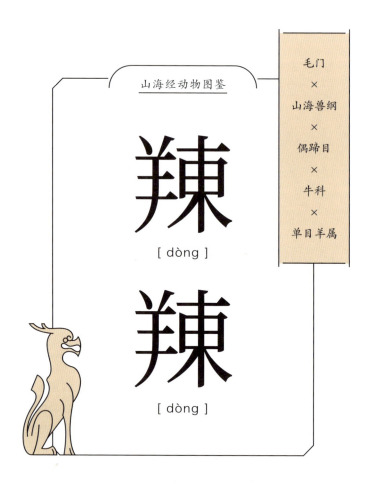

辣
[dòng]

辣
[dòng]

毛门 × 山海兽纲 × 偶蹄目 × 牛科 × 单目羊属

又北三百里，曰泰戏之山，无草木，多金玉。有兽焉，其状如羊，一角一目，目在耳后，其名曰辣辣，其鸣自讦。

——《山海经·北山经》

| 辣辣头部肌肉组织图

| 栖息环境

在《山海经·北山经》的泰戏山中，有一种动物身材健硕，爱发出"辣辣"般的叫声，因此它们的名字就被记录为辣辣。辣辣不会主动发起攻击，遇到危险时也只是逃跑。泰戏山的环境并不完全符合它们的生活条件，山中不长草木，因此几乎没有动物，但这儿成了辣辣们绝佳的繁衍之地。

| 形态特征

辣辣外形独特，只有一只眼睛，且位置各不相同。眼睛的生长位置取决于它们的母亲。因为只在一侧长有一只眼睛，所以视觉对它们来说几乎没有用处。它们不仅独眼，而且只有一只角，这让它们在长角的动物中显得极为独特。这种独眼独角的外形对辣辣来说没有任何好处，因此它们对周围环境极为敏感。它们平时每次合眼休息的时间不超过3分钟，每天的睡眠时间加起来总共也不到半小时。

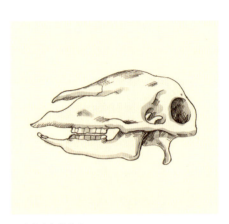

| 辣辣头部骨骼图

| 辣辣脑部解剖图

| 生活习性

辣辣没有固定的交配期，它们会在最安全的地带进行交配，然后等待产子。它们的孕期很久，最少需要半年时间，一胎只产一只幼辣辣。为了保证存活率，雌性辣辣还有一项特殊的技能，那就是推迟孕期，尽力让宝宝降生在安全的地方。在辣辣怀孕期间，群体内会留下几只强壮的雄性辣辣保护怀孕的妈妈们，其余雄性则会一起外出觅食，将找到的食物带回待产地。

幼崽出生后不久，群体内的雄性首领就会开始实施驱逐行动。雌性辣辣则会尽力保护，直到幼崽完全成熟，才会目送它们离开。被迫离开的青年们会自动组建成一个新的族群。

山海经动物图鉴

獂

[huán]

毛门
×
山海兽纲
×
偶蹄目
×
牛科
×
三足牛属

又北四百里，曰乾山，无草木，其阳多金玉，其阴有铁而无水。有兽焉，其状如牛而三足，其名曰獂，其鸣自詨。

——《山海经·北山经》

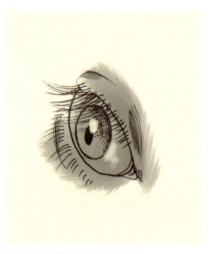

| 獬眼部细节图

| 獬鼻部细节图

| 栖息环境

乾山属于《山海经·北山经》中的第三山系，山中植被贫瘠，只有大量的金属和玉石。水源稀缺的乾山中依稀有个别小型动物群体生活在这里，以土壤中的昆虫为食。其中有种动物名为獬。

| 形态特征

它们虽然外形像牛，体型却十分袖珍，个头只有野兔般大小，娇小的身形有利于灵活地躲避猎食者的捕捉。因为天生只有三条腿，所以它们只能选择跳跃前进。强健的后肢能帮助它们急速跳跃，在面临危险时成功摆脱敌人。独立的前肢可以让它们在跳跃时保持平衡，同时控制它们前进的方向。

不同地区的獬，长相也有微弱的差别。獬的眼睛长有细长的睫毛，可以有效防止风沙和灰尘进入眼睛；为了减少紫外线对眼睛的伤害，日照时间较长地区的獬，睫毛会比普通地区的更加浓密。为了提高吸入肺内的空气的温度，寒冷地带的獬的鼻子也会相对长一些。

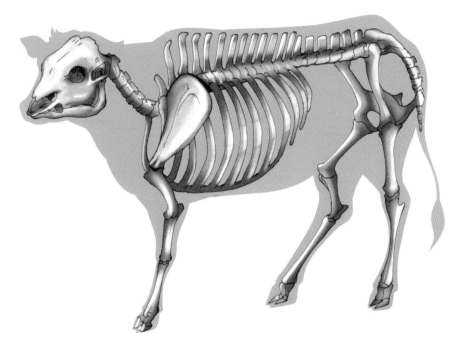

| 獬骨骼图

| 生活习性

獬体型小,喜群居,好迁徙。乾山是它们迁徙的必经之路。它们会选出团队中最有威望和能力的獬作为首领,但是并不局限于某一性别,因此雌雄之间的交配也十分混乱。它们可以在团体中自行交配,然后寻找合适的地方生产。獬没有固定的交配期,且交配次数频繁,因此繁殖能力很强,大批的獬最终会占领一片较大的区域作为自己的栖息地,遇到袭击时会协同作战。这种以量取胜的方式提高了它们的生存能力,使其成功地在弱肉强食的自然界中存活了下来。

山海经动物图鉴

羆
[pí]

九
[jiǔ]

毛门 × 山海兽纲 × 偶蹄目 × 麋鹿科 × 短尾属

又北五百里，曰伦山。伦水出焉，而东流注于河。有兽焉，其状如麋，其州在尾上，其名曰羆九。

——《山海经·北山经》

| 罴九解剖图

| 栖息环境

《山海经·北山经》中伦山的针叶林中栖息着一群色彩亮丽、性情温和的动物，名叫罴九。它们通常姿态优雅地漫步在山林之间，巡视着山中的一草一木。罴九的适应能力很强，因此它们喜欢不停地迁居，去寻找新的家园。

| 形态特征

罴九透亮的蓝色皮毛和晶莹的红色鹿角完美地结合在了一起。鹿角的分枝众多，有些可以达到30个之多。为了配合它们长途跋涉的习惯，罴九长有宽大的悬蹄。作为矫健的"短跑选手"，它们奔跑的时速最快可达60千米每小时，以此来摆脱对手。但在高速奔跑后，它们往往会精疲力竭，挤在一起原地休息。

罴九的肛门长在尾巴上，内脏连接紧密，一旦尾巴受到伤害，罴九将必死无疑。为了提高逃生概率，罴九的尾巴逐渐变得短小，在逃避对手追捕时，尾巴会紧紧地贴在屁股上，以防对手有可乘之机。

| 黑九尾部细节图

| 生活习性

黑九是群居性动物，团体中由雄性黑九充当首领，其余雌性全部都是它的"妻妾"。它们会短暂地停留在一个食物和水源都较为充足的地方待产。

刚刚出生的黑九就要学会站立，因为它们明白自己将面临危机四伏的生存环境。妈妈们会不停地舔舐小黑九的身体，防止它们身上的毛发在尚未转暖的天气里结冰。在黑九的成长期中，母亲们会给自己的幼崽无微不至的照顾。但即便如此，小黑九的存活率也只有1/4左右，因为它们是捕猎者不可多得的美食，许多动物会为了这顿美餐而奋不顾身。

山海经动物图鉴

从从
[cóng]

从从
[cóng]

毛门 × 山海兽纲 × 食肉目 × 犬科 × 六足属

又南三百里,曰枸状之山,其上多金玉,其下多青碧石。有兽焉,其状如犬,六足,其名曰从从,其鸣自詨。

——《山海经·东山经》

| 从从骨骼图

| 栖息环境

在《山海经·东山经》的枸状山中有一种六腿生物，名字同叫声一样，名为"从从"。枸状山湿度较低，并不适宜动物居住，但生存能力较强的动物不会在意山中的环境，只需要维持日常的进食即可保持体能。枸状山的白天较短而黑夜偏长，因此也要求动物们对黑夜有一定的应对措施。在这种环境下生存的从从，有着自己独特的解决办法。

| 形态特征

它们长相凶恶，瞳孔在黑夜中发出绿光；拥有上下两对獠牙，可以轻而易举地撕碎猎物；有两对前肢，一对后肢。这种不对称的身体结构，让从从只能选择跳跃，而且时常在向前跳跃时前重后轻。从从的前肢提供向前跳跃的力量，后肢只能起到辅助支撑的作用。

它们通常在夜间外出活动，以捕食小型哺乳动物为生。从从全身为黑褐色，这种颜色自然成了它们在夜间行动时的保护色。

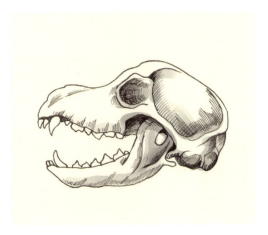
| 从从头部骨骼图

| 从从爪部细节图

| 生 活 习 性

虽然成熟后的从从拥有非同寻常的感知能力和反应速度，但在刚出生时，它们的眼睛与耳朵为完全闭合的状态。它们看不到、听不见，也不能自行控制体温，唯一的生存方式就是依靠母亲的照顾。从从一生只繁衍一次。也许是大自然需要平衡，这种杀伤力极大的动物在成为母亲后，性情也会变得温和许多。幼年从从会在出生两周后睁开双眼和耳朵，去探索世界。从从幼崽十分嗜睡，在自然界是最令人垂涎的猎物，因此母亲在这段时间为了保障幼崽的安全，要不间断地观察周围的情况。等到从从长大成熟后，母亲就会独自离开。

山海经动物图鉴

狪
[tōng]

狪
[tōng]

毛门 × 山海兽纲 × 偶蹄目 × 猪科 × 猪属

又南三百里，曰泰山，其上多玉，其下多金。有兽焉，其状如豚而有珠，名曰狪狪，其鸣自讧。

——《山海经·东山经》

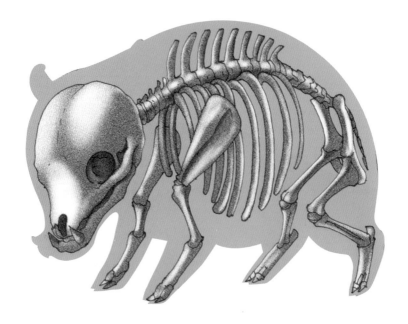

| 狪狪骨骼图

| 栖息环境

《山海经·东山经》的泰山中玉石黄金随处可见,山间溪流穿梭,植被丰富,为这里的动物们提供了大量的食物。胆小的狪狪就生活在这里。

| 形态特征

它们虽然长有獠牙,但平时不会使用,只有在受到威胁的情况下才会通过咬合带动獠牙,给敌人造成伤害。当然,攻击敌人的场景并不多见,一般情况下在面临危险时,它们会匆忙逃走。

狪狪的适应能力很强,也不需要过多地进食。它们喜爱山中的蘑菇,以及生长在树干上的嫩芽。狪狪的身体会将吃下的食物进行调节,最终形成颗粒状的白色营养珠,通过血液分散到身体的各个角落。消化这些营养珠需要很长一段时间,因此在这段时间内,狪狪是没有饥饿感的,它们除了在丛林中散步以外,就是到河里玩耍。

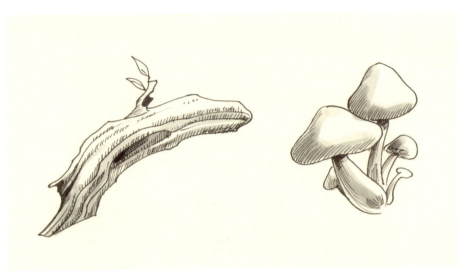

| 狪狪食物图

| 生活习性

狪狪对于捕食者的诱惑，是其体内的营养珠。珠内富含大量的营养成分，是猎食者对于猎物品质排行的关键。成年狪狪体内珠子的数量足够捕食者饱餐一顿，因此狪狪虽然生命力和繁殖能力都很强，但作为移动的营养库来说，它们的存活率并不高。

狪狪喜欢在白天出行，它们不爱群居，通常都是单独行动。当看到几只狪狪在一起的情况时，都是母亲带着幼崽在外活动。幼崽会跟在母亲身边很长一段时间，直到掌握生存技能为止。在这期间，幼年狪狪虽然可以觅食，但主要依靠母乳喂养。

山海经动物图鉴

轮
[líng]

轮
[líng]

毛门 × 山海兽纲 × 偶蹄目 × 牛科 × 异纹属

东次二山之首，曰空桑之山，北临食水，东望沮吴，南望沙陵，西望湣泽。有兽焉，其状如牛而虎文，其音如钦，其名曰轮轮，其鸣自叫，见则天下大水。

——《山海经·东山经》

| 羚羚皮毛纹理图

| 栖息环境

《山海经·东山经》第二山系的第一座山名叫空桑山。空桑山北临食水，南靠沙陵，四周地势起起伏伏，植被类型丰富，动物种类多样。山间有一种喜爱独来独往的动物，名字同叫声一样，称为羚羚。

| 形态特征

羚羚不会为了降低遇袭风险而和同类群居在一起。它们拥有健硕的体型和尖锐的头角。在面对敌人时，它们会灵活地运用格斗技巧，头上弯曲的犄角粗壮结实，头角或挑或刺，四蹄或踢或踩。如果没有绝对的信心，很少会有动物选择同羚羚单打独斗。

它们以青草为食。干季时青草枯萎，它们会转而寻找低矮的灌木，以绿叶为食。它们身上有黑色的纵向条纹，看上去和老虎相似。

| 羚羊头部骨骼图

| 生活习性

羚羊的交配期并不固定，一年四季都可以进行繁殖。其孕期较短，大约只有3个月，一胎只生一个，存活率不高。羚羊出生后没有体味，通常被雌性藏在隐蔽的地方。离开母亲的幼崽警惕性很低，且极度嗜睡。雌性通常会以幼崽为中心，在安全的半径范围内活动。当看到捕猎者靠近幼崽时，母亲会大声呼叫，提醒自己的孩子注意周围的情况，同时用呼叫声迷惑敌人，让敌人不知所措。

羚羊在出生4个月后开始跟随自己的母亲学习生存技能，头角也开始生长。它们的头角需要长上几年才能达到自卫及对抗的水平，所以这段时间内的羚羊通常都很低调。

山海经动物图鉴

犰
[qiú]

狳
[yú]

毛门
×
山海兽纲
×
贫齿目
×
犰狳科
×
犰狳属

又南三百八十里，曰余峨之山，其上多梓楠，其下多荆芑。杂余之水出焉，东流注于黄水。有兽焉，其状如菟而鸟喙，鸱目蛇尾，见人则眠，名曰犰狳，其名自训，见则螽蝗为败。
——《山海经·东山经》

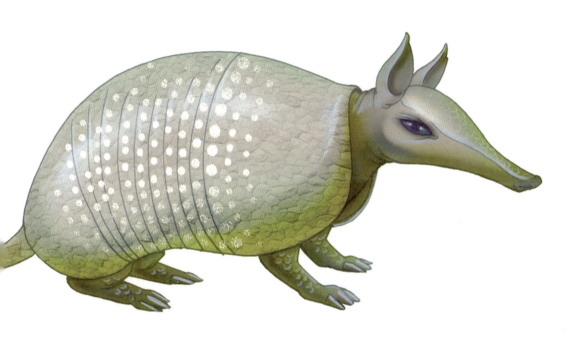

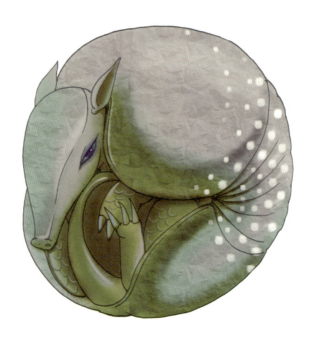

| 犰狳自卫图

| 栖息环境

《山海经·东山经》的余峨山中，植被类型丰富，山间遍布着茂盛的梓树林，粗壮的楠木也随处可见。牡荆树和枸杞树交错生长，形成深林。山中清脆悦耳的鸟鸣声配合着欢快的溪流声，萦绕着整个余峨山。余峨山中有种野兽，名叫犰狳。

| 形态特征

犰狳身披硬甲，行走缓慢，试图掩饰它们胆小怯懦的性格。犰狳的鼻部与嘴部相连，突出于整个面部，利用鼻部嗅觉与同类进行社交。它们身上覆盖着一层厚重的骨质甲，分散在额部、四肢外侧、身体四周和尾巴上。骨质甲的鳞片为贝壳形，有条状纹路。犰狳的腹部柔软，容易遭受攻击，在遇到危险情况时，它们会用最快的速度逃离，逃跑的速度远快于它们行走时。当认为敌人太过强大时，则会迅速蜷缩成球形装死，使自己看上去无坚不摧。

| 犼狳食物图

| 犼狳爪部细节图

| 生活习性

犼狳没有牙齿,舌头是它们捕捉猎物的唯一工具。犼狳的视力很差,只能通过嗅觉寻找猎物,在锁定猎物后,它们会用黏湿的长舌粘住猎物,卷入口中。犼狳通常会捕捉小型昆虫或无脊椎动物,偶尔还会以掉落在地上的果实为食。它们虽然行走缓慢,但却喜爱四处游走。依靠着极强的适应能力,它们可以居住在炎热的沙漠中,也可以生活在湿润的雨林里。强大的肺活量还能让它们轻松地跨过宽阔的水面。但犼狳惧怕寒冷,冬季来临时,它们通常会躲在自己挖建的洞穴中,许久才外出一次。

山海经动物图鉴

朱獳
[zhū]

[rú]

毛门 × 山海兽纲 × 食肉目 × 犬科 × 狐属

又南三百里，曰耿山，无草木，多水碧，多大蛇。有兽焉，其状如狐而鱼翼，其名曰朱獳，其鸣自讦，见则其国有恐。

——《山海经·东山经》

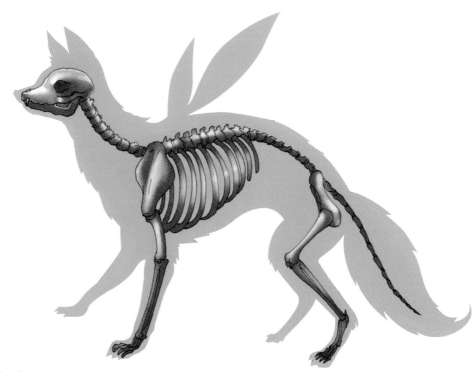

| 朱獴骨骼图

| 形态特征

朱獴拥有一身双色皮毛,双耳、面部、四肢及尾巴的尖端呈现出较为明显的黑色,其余为天蓝色。它们身后长有鱼鳍状的翅膀,十分短小,看上去有些滑稽。这对翅膀并不能帮助朱獴飞翔,而像是天生的装饰物。

朱獴的感官系统十分发达。一双直立的耳朵十分特殊,它们可以独立活动,最多可以旋转150°来捕捉周围的信息。它们可以准确地分辨出猎物的声音,依靠听觉捕捉猎物。朱獴还拥有奇特的双眼,在夜晚时瞳孔会放大,有利于朱獴更加清晰地看到夜间猎物的动向。白天瞳孔会自动缩小,汇聚光线的同时充分保护眼球后方的夜视功能。眼睛会自动将移动中的动物转变成敏感的光线,并将信息传递给大脑,这让朱獴可以轻松地找到远在百米之外的猎物。敏锐的嗅觉在冬天极其重要,因为厚重的雪层对朱獴来说是一大考验。聪慧的朱獴会通过嗅觉准确找到覆盖在雪层下的猎物尸体。

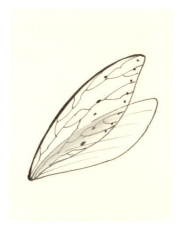
| 朱獳双翼图

| 朱獳耳部图

| 栖息环境

《山海经·东山经》中的耿山虽然拥有丰富的地下水资源，但植被稀少。但这并不影响适应力强的动物在此定居，比如朱獳。它们依靠聪明的大脑，统治着这片看似荒无人烟的高山。

| 生活习性

朱獳天资聪颖，面对四季变化带给它们的考验，通常可以给出令人惊讶的答复。

夏季为朱獳的筑巢期，它们会提早开始准备过冬的食物。耿山中蛇类偏多，蛇蛋对朱獳来说是不可多得的美食。朱獳会将巢穴搭建在可以监视猎物的高处，这样就可以对猎物的动向了如指掌。它们可以通过嗅觉分辨出蛇类是否有毒性，通常都会选择对无毒的蛇下手。它们会先通过观察思考出可行性，然后引蛇出洞，趁蛇不备将蛋偷出。偷出后会将蛇蛋分散埋藏在巢穴周围，以防止同类偷窃。蛇蛋的外壳有效地阻止了营养成分的流失，蛇蛋丰富的营养和庞大的数量，足够朱獳安稳地度过漫长的冬天。

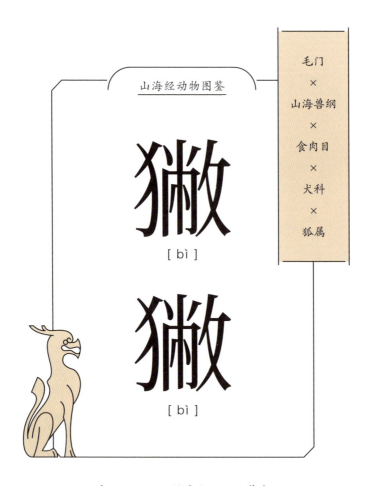

山海经动物图鉴

獙
[bì]

獙獙
[bì]

毛门 × 山海兽纲 × 食肉目 × 犬科 × 狐属

又南三百里，曰姑逢之山，无草木，多金玉。有兽焉，其状如狐而有翼，其音如鸿雁，其名曰獙獙，见则天下大旱。

——《山海经·东山经》

| 獙獙骨骼图

| 栖息环境

《山海经·东山经》中的姑逢山气候恶劣、地势险峻，是大多数动物不愿涉足的山峰。山中没有草木，风沙几乎掩盖了这里所有动物生活过的痕迹。在这里生活着一群凶猛异常的动物，名曰獙獙。

| 形态特征

獙獙看上去十分讨人喜欢，它们有着娇小的身形，全身为橙黄色。耳朵同羽翼长成了一体，庞大的耳朵对比瘦小的身形，显得十分可爱。獙獙除了面部呈红点状的眉毛和眼部周围红色的线条外，背部还有类似凤纹的图案。獙獙的吻部突出，这是嗅觉灵敏的直观体现。它们以昆虫和蛇类为食，在寻找食物时通常会尽力降低身体的高度，贴伏在地面上，用嗅觉和听觉锁定地下的猎物。当移动到猎物正上方时，它们会用自己尖锐的利爪刨开沙土，快速流畅地捕捉猎物。它们虽然外表玲珑可爱，却是极为恐怖的猎食者。

| 獙獙指甲细节图

| 獙獙头部骨骼图

| 生活习性

姑逢山的环境严酷,昼夜温差极大。獙獙凭借自己强大的适应能力,在这座山中穿梭自如。獙獙的耳朵是身体极好的散热装置,硕大的耳朵上分布着密集的血管。天气炎热的时候它们可以通过耳部散热,寒冷时则将双耳放下紧贴身体,为自己保暖。

为了减少水分流失,它们白天会待在洞穴中保存体力,夜间再外出觅食。它们的洞穴由多条通道连接组成,这让它们不仅可以在恒温的地底活动,还能在无法击败对手时快速逃跑。獙獙有极强的领地意识,群居生活的它们会守土护幼,看到有外来者闯入时,会奋起而攻之。

山海经动物图鉴

毛门 × 山海兽纲 × 食肉目 × 犬科 × 九头属

蛮
[lóng]

蛭
[zhì]

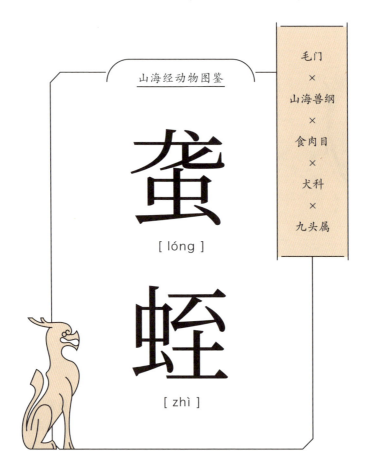

又南五百里，曰兔丽之山，其上多金玉，其下多箴石。有兽焉，其状如狐，而九尾、九首、虎爪，名曰蛮蛭，其音如婴儿，是食人。

——《山海经·东山经》

| 蛮蛭全身图

| 栖息环境

《山海经·东山经》中的凫丽山是座令人闻风丧胆的高山，误入凫丽山的人或动物往往都是九死一生，因此这里白骨处处可见。这座可怕的山峰平日里寂静无声，偶尔会传出婴儿啼哭的声音，这种声音来自山间的一种猛兽，它的名字叫蛮蛭。

| 形态特征

蛮蛭体型硕大，皮毛呈暗橙色。肩扛九头，每个头均有独立的思维。其中最明显的一个头为主头，其余八个头听从它的号令。每个头都有敏锐的听觉、视觉和嗅觉，这让它们可以轻而易举地探测到周围山中的动静。蛮蛭锋利的尖牙可以轻松地撕碎大型食肉动物，因此在这座山中，除了蛮蛭不存在其他动物。它们依靠叫声吸引动物，如果不成功，则会去往其他山系进行狩猎。

蛮蛭捕猎后不需要九头分食，仅主头食用即可。它们身后还长有九条尾巴，对应着九个头。在袭击猎物时多条尾巴不停地摆动，有效地分散了猎物的注意力，以便其趁机扑食。

| 蚕蛭眼部细节图

| 生活习性

蚕蛭的九个脑袋可以轮流休息,因此它们几乎没有睡眠时间。相应地,为了适应它们的作息习惯,蚕蛭的瞳孔可以随时间而变化,夜间瞳孔为圆形,可以有效地看清夜间生物的动向;白天则会收缩成枣核状,以便聚集光线。蚕蛭没有弱点,不需要为了保护自身而搭建巢穴。它们随走随停,不定期地进行捕猎。这种捕猎行为多数情况下不是因为饥饿,而是兴趣所在。

虽然它们十分强大,但因为平时消耗了太多精力,多数寿命不长。繁衍能力较弱的蚕蛭用这种方式控制着自己种群的数量。

山海经动物图鉴

毛门 × 山海兽纲 × 奇蹄目 × 近马科 × 四角属

峳
[yóu]

峳
[yóu]

又南五百里,曰硜山,南临硜水,东望湖泽。有兽焉,其状如马而羊目、四角、牛尾,其音如獆狗,其名曰峳峳,见则其国多狡客。

——《山海经·东山经》

| 莜莜眼部细节图

| 狰狰奔跑动态图

| 狰狰头部骨骼图

| 栖息环境

《山海经·东山经》中的硬山，南邻硬水，东观湖泽，是一座群水环绕的山峰。山中飞禽走兽应接不暇，是动物绝佳的栖息地。四角兽狰狰就生活在这美丽富饶的硬山中。

| 生活习性

狰狰的鼻腔很大，嗅觉是它们接触环境的主要途径。它们可以通过嗅觉寻找水源或草场，也会在求偶期间通过嗅觉来判断对方的性别以及是否处在发情期。

雄性狰狰碰到心仪的异性时，会立即围绕着它踏起舞步，富有节奏感的"踢哒"声连连响起，狰狰奋力地在对方面前展现出自己的美。通常一只雄性狰狰同时拥有多名雌性配偶，由此组成一个群体共同生活。

面对敌人时，它们通常会以逃跑应对，但有时也会用踢咬的方式来攻击对手。

| 形态特征

它们天生长有两对角，前角较短，在打斗中几乎不起作用；后角粗壮，会给对手造成重伤。它们身形像马，颈部长有马鬃。尾巴却不同于蓬松的马尾，而更似牛尾。

它们长有悬蹄，腿部有附蝉，善于奔跑，强大的爆发力和持久力使其往往能够躲避敌人的追捕。狰狰的皮毛为栗色，在春秋时节会自动脱换，用来调节自身的体温，让自己尽快地适应所处的环境。狰狰的视力较弱，通常看不清近处的事物，只能依靠嗅觉和听觉来弥补这一缺憾。

山海经动物图鉴

毛门 × 山海兽纲 × 单孔目 × 鸭嘴兽科 × 鸭嘴兽属

絜
[xié]

钩
[gōu]

又南五百里，曰硬山，南临硬水，东望湖泽……有鸟焉，其状如凫而鼠尾，善登木，其名曰絜钩，见则其国多疫。

——《山海经·东山经》

| 絮钩爪部图

| 絮钩头部骨骼图

| 栖息环境

同样生活在砳山的还有一种名叫絮钩的动物。因为可以爬上树木，穿梭于林间，絮钩时常被看作是大型鸟类。实际上絮钩喜爱温暖潮湿的环境，会把巢穴建在水岸边或者临近沼泽的地方，洞口多开在水下。

| 形态特征

絮钩有着柔软的皮毛，皮毛的颜色为棕褐色，这种保护色能将它们完美地隐藏在水草和泥沼中，也能顺利地藏匿于丛林灌木之间。它们的体型不大，身形偏肥，有同鸭子一样的角质喙。它们的"鸭嘴"里布满了无数条神经，可以接收多种动物的信号，是帮助它们捕食的有力工具。

絮钩的耳朵没有耳廓，只有微小的耳孔。絮钩入水时耳孔会自动闭合，防止进水。扁平的尾巴可以灵活地控制絮钩在水中前进的方向，虽然它们在陆地上爬行缓慢，但在水中它们可以快速地游动。

| 絮钩头部细节图

| 生活习性

絮钩喜水,适应力极强,可以在任何水质中生存。絮钩会在夜间外出捕食,白天则回到洞穴中休息。它们外出的大部分时间都在水中度过,对水生物有着独特的喜爱。它们通过角质喙探寻河床下的食物,偶尔也会去陆地上捕捉昆虫、青蛙等小型动物。在寒冷的冬季来临之前,絮钩会提高自己捕食的频率,用足够的体能和脂肪去面对寒冷的冬天。

春天是絮钩求偶繁殖的季节,它们会重新筑造巢穴,并用水草精心装饰,之后潜入水中完成交尾。絮钩虽是卵生动物,但幼崽孵化后却像哺乳动物一样需要用乳汁喂养,这种极具特点的繁育方式使它们成了动物界的一个异类。

山海经动物图鉴

㚟胡
[wǎn]
[hú]

毛门
×
山海兽纲
×
偶蹄目
×
鹿科
×
麋鹿属

东次三山之首,曰尸胡之山,北望䍿山,其上多金玉,其下多棘。有兽焉,其状如麋而鱼目,名曰㚟胡,其鸣自讠川。

——《山海经·东山经》

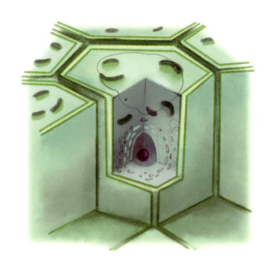

| 婃胡体内的植物细胞图

| 栖息环境

尸胡山是《山海经·东山经》中第三山系的第一座山。站在山顶向北远眺，可看到犲山，与南边的岐山隔水相望。山中错落有致的酸枣树营养丰富，是食草类动物的主要食物来源。比起其他栖息在此的生物，婃胡更像是隐匿在这片山中，很难捕捉到它们的身影。

| 形态特征

婃胡全身为棕黄色，与周围环境极为相似。身体两侧各有一条绿色花纹，这两处花纹由婃胡体内特有的植物细胞组成，可自行进行光合作用，因此婃胡食物的摄入量极低，只需定期补充水分即可。

婃胡没有上门牙，在进食的时候会用舌头与口腔底部合作抵住青草以完成拔草。它们有四个胃囊，进食后会找一个安静且安全的地方进行反刍，慢慢消化食物。

婃胡喜爱日光，每天都会在太阳下进行光合作用，因此眼部周围有浓密的绒毛，帮助它们反射强烈的紫外线。

| 婎胡眼部细节图

| 生 活 习 性

婎胡为群居性动物,通常由一头雄性婎胡带领自己的家人在领地上活动。它们行走时喜欢排成纵队,由雄性婎胡在前面探路。这种纵队前进的出行方式,在雪层较厚的冬天,可以有效减少后方雌性婎胡和婎胡幼崽前进的阻力。

四月为婎胡的繁殖期,刚出生的婎胡为了生存必须迅速学会站立。它们在出生后没有自我保护能力,4个月后才会长出新角,角上包裹着一层绒毛;8个月后绒毛将被磨掉,露出锋利的尖角,此时它们的攻击力迅速提升,足以自保。

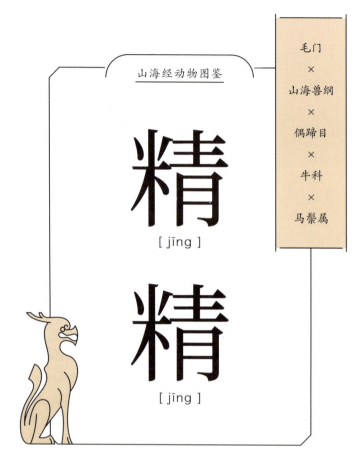

山海经动物图鉴

精
[jīng]

精
[jīng]

毛门
×
山海兽纲
×
偶蹄目
×
牛科
×
马鬃属

又南水行九百里，曰踇隅之山，其上多草木，多金玉，多赭。有兽焉，其状如牛而马尾，名曰精精，其鸣自叫。

——《山海经·东山经》

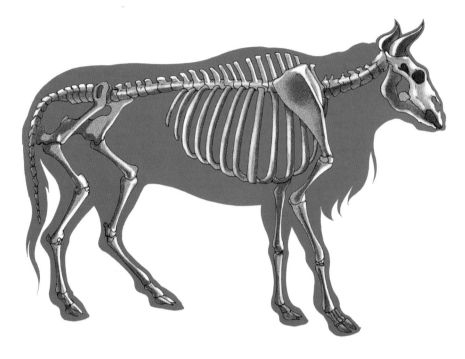

| 精精骨骼图

| 栖息环境

《山海经·东山经》的踇隅山中树木碧绿青翠，奇花异草点缀其间，精精就生活于此。

| 形态特征

它们有一双敏锐的红色眼睛，一对弯曲锋利的洞角，角内为空心，鬃毛及尾巴卷曲飘逸。精精善于奔跑，可以长时间地高速奔跑，灵巧地躲过掠食者的围追堵截。

为了应对各种植被食物，精精的牙齿逐渐变得粗糙，复杂的纹路可以帮助它们碾碎所有植物，甚至是树皮。精精的进食速度快，食量也大。具有储存功能的胃部可以降低它们的进食频率，从而减少外出进食时食肉动物对自身的伤害。它们在进食后会找一个安全地带反刍，通常一次觅食可以保证一周都不会感到饥饿。

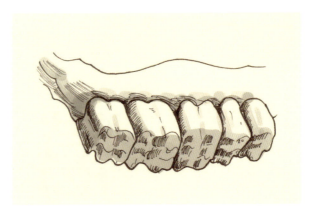

| 精精齿部细节图

| 生活习性

精精会在冬季求偶，并进行交配。雄性精精之间在这个时候会展开一场激烈的格斗。它们会用洞角相互顶撞，同时发出跟名字一样的"精精"叫声。胜利者可以优先挑选异性配偶，并且拥有最多的交配权。

雌性精精会在交配9个月后产下幼崽，此时的小精精还不具备跟随集体活动的能力。作为群居性动物，它们有极强的分工协作能力，产子后的精精会在外出觅食时将幼崽托付给强壮的精精看守，彼此轮换着外出进食，给孩子们提供最大的安全保障。

小精精会在出生半个月后开始跟随群体活动。此时它们不会吃花草植物，依旧靠母乳生活，直到次年夏天，它们才开始自行觅食。

山海经动物图鉴

獦
[gé]

狙
[dàn]

毛门 × 山海兽纲 × 食肉目 × 犬科 × 变异属

东次四山之首,曰北号之山,临于北海。有木焉,其状如杨。赤华,其实如枣而无核,其味酸甘,食之不疟。食水出焉,而东北流注于海。有兽焉,其状如狼,赤首鼠目,其音如豚,名曰獦狙,是食人。

——《山海经·东山经》

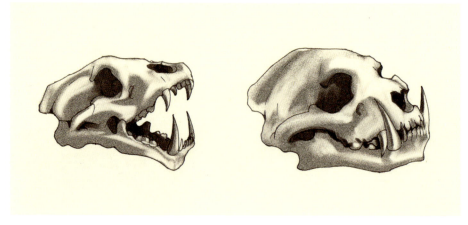

| 獚狚头部骨骼图

| 栖息环境

北号山坐落在北海旁,是《山海经·东山经》中第四山系的第一座山。山中天材地宝数不胜数,珍禽异兽不计其数。这座山中地势较高的山洞被一种名为獚狚的动物霸占着,它们将山洞打造成了一个家族基地。

| 形态特征

獚狚有着凶猛的外貌,是典型的肉食性动物。头部为红色,身体为蓝色。獚狚有两颗尖长的獠牙,平时不停地与上牙摩擦,使得獠牙更加尖锐,这让獚狚的面部显得十分狰狞。它锐利的目光可以捕捉到视线范围内猎物的一举一动,敏锐的听觉可以掌握附近所有动物的动态。獚狚肩颈部的皮毛很厚,可以有效地削弱敌人给自己带来的伤害,而这个"敌人"往往是它们在不同领地的同类。

獚狚的四爪锋利,可以轻而易举地划破猎物的皮肤。发达的四肢让它们可以高速奔跑,只要锁定猎物,就会全力追捕。因此无论何时,动物们只要看到獚狚出没,就会第一时间隐匿或逃离。

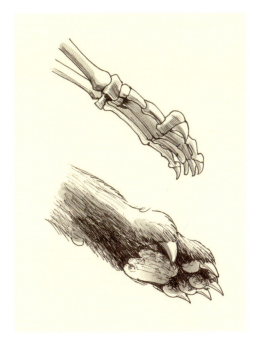

| 獝狚掌部图

| 生活习性

獝狚作为群居动物,群体内遵循严格的等级制度。獝狚群通常由一个家族组成,领头的一家之主是唯一的雄性獝狚。它们会带领自己的家人寻找领地,同时会在妻妾怀孕期间尽全力保护它们。尽管它们有高超的打洞技巧,但这种时候它为了安全起见,它们会选择返回自己的家族山洞中等待生产。

小獝狚刚一出生就会被母亲打理一番,衔出洞外,转移到新的洞穴中,这是獝狚对幼崽的一种保护措施。新生的獝狚不会调节体温,因此需要母亲无微不至的照顾。等到小獝狚睁开眼睛、拥有听觉后,就将被带出洞外,同家人一起学习捕猎技巧。

山海经动物图鉴

毛门 × 山海兽纲 × 偶蹄目 × 西獾科 × 异牙属

当
[dāng]

康
[kāng]

又东南二百里，曰钦山，多金玉而无石。师水出焉，而北流注于皋泽，其中多鳡鱼，多文贝。有兽焉，其状如豚而有牙，其名曰当康，其鸣自叫，见则天下大穰。

——《山海经·东山经》

| 当康（左）与一般野猪（右）体型对比图

| 栖息环境

《山海经·东山经》的钦山中有着大量的金属和玉石，生活在这里的动物运用这些材料搭窝筑巢，所建出的巢穴坚不可摧。师水从钦山发源，向北汇入皋泽。山中生活着一种性格温和的动物，名叫当康。

| 形态特征

当康体态臃肿，体型大小是普通野猪的5倍，但是动作十分敏捷，腿部肌肉发达，可以长时间奔跑。当康是山中和平的象征，它们虽然拥有一对尖长的獠牙，却不会随意使用。它们可以与任何动物和平相处，即使是食肉动物，都不敢对它们轻举妄动。当康的獠牙随着年龄逐渐增长，生长期间它们不会特意打磨自己的獠牙，但即便是这样，卷曲的獠牙依旧是它们最具攻击性的武器。

当康全身为粉紫色，背部有云纹。在寻找食物时，当康不会进行毁灭性的破坏，它们会用獠牙拱地翻土找寻食物，这种无意间的松土行为反而让山中的植被更加茂盛。

| 当康皮毛纹路图

| 生活习性

为了维持庞大的身形，当康每日的进食量很大。它们会不分昼夜地外出觅食，多以山中植物为食。秋季是它们最喜爱的季节，山中果树林立，它们用肥硕的身躯轻撞树干，就可以在树下等待美食的到来。其他聪明的草食动物这时候也会跟着当康一同寻找食物，悠闲地享受着当康赐予的美食。

当康不喜群居，除去繁殖阶段，大多数时候都爱独来独往。在繁殖期中，雄性当康在求偶成功后，会带着妻子寻找其他夫妻，自动组成夫妻团体，以防在哺育阶段被肉食动物找到可乘之机。

山海经动物图鉴

合
[hé]

𤢖
[yǔ]

毛门
×
山海兽纲
×
偶蹄目
×
类猪科
×
合𤢖属

又东北二百里，曰剡山，多金玉。有兽焉，其状如彘而人面，黄身而赤尾，其名曰合𤢖，其音如婴儿。是兽也，食人，亦食虫蛇，见则天下大水。

——《山海经·东山经》

| 雌性合窳图

栖息环境

《山海经·东山经》的剡山中丛林叠嶂，几乎没有阳光可以穿透这层层树叶。寂静的山岭中阴风阵阵，使人不寒而栗。一种神秘的动物就隐藏在这里的丛林深处，名叫合窳。

形态特征

合窳长有一张蓝色的人脸，这让它们在动物中显得格格不入。嘴中两对獠牙彰显出它们的攻击力，黄色的毛色让它们在丛林中十分醒目。皮毛上流淌出的绿色毒素展现出自身强大的毒性，让对手们望而却步。

合窳身上的颜色因为性别不同而有所区分。雌性合窳身上没有因毒素而产生的花纹，面部色彩也较为柔和，只有比较短小的獠牙，虽然看上去没有攻击力，但实际上只是一种伪装。颜色对合窳来说就是权力的象征，因此雄性身上的颜色会比雌性的更加鲜艳。

生活习性

合窳的求偶之战较为特别，交配权将通过选美来决定，颜色最为亮丽的可以获得最多的伴侣。胜利的雄性合窳可以跟族群中2/3的异性交配，而失败者只能在剩余的异性中选择，或者离开族群。

在对战期间，它们会逐渐选出与自己势均力敌的合窳，先通过眼神对视来击败对手。如果两只合窳难分伯仲，它们会选择低吼。不过它们的叫声如同婴儿的啼哭，听上去没有什么力度。比到最后，它们会靠扮鬼脸决出高低。

如果雄性合窳赢得了战斗，那就意味着在数月内，它们都可以享受雌性合窳前呼后拥的待遇。

山海经动物图鉴

蜚

[fěi]

毛门 × 山海兽纲 × 偶蹄目 × 牛科 × 蛇尾属

又东二百里,曰太山,上多金玉、桢木。有兽焉,其状如牛而白首,一目而蛇尾,其名曰蜚,行水则竭,行草则死,见则天下大疫。

——《山海经·东山经》

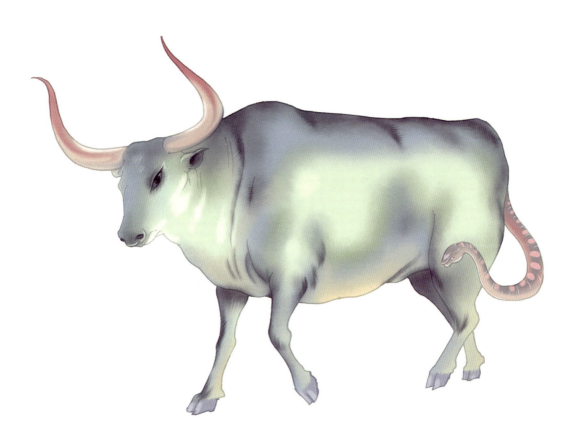

| 蜚的栖息环境图

| 栖息环境

太山是《山海经·东山经》中的最后一座山。山中土壤常年龟裂，即使有钩水从山中流出，依旧难改这里的土壤情况。只有生命力顽强的女贞树在山中耸立，其余草木一一枯萎。在这片土壤贫瘠的大地上，生活着一种动物，名叫蜚。

| 形态特征

蜚的身体强健，只有一只眼睛，生性好斗，自身带有毒性。它们身形像牛，有一对粉色的牛角。头角粗壮有力，角的末端相距较远，且雄性的角要更大一些，这是它们攻击其他动物的主要工具。蜚的牛角根部会分泌毒素，注入空心的角中，蜚在攻击其他动物时会将毒素通过角尖注入动物体内。但它们的毒性并不大，一般情况下只能让动物们感到眩晕。作为食草动物，它们并不需要依靠毒素捕捉猎物，对动物的挑衅只是它们的日常乐趣。

蜚的尾部为特殊的蛇形，带有毒素，并且可以独立思考，将信息传递到蜚的大脑。当蜚休憩时，尾部可以帮助它们警戒周围的环境动态，很好地保护自身安全。因为尾部完全依靠主体提供的营养和体能，所以也不需要进食和休息，只是作为蜚的守护者存在着。

| 蛋休憩图

| 生活习性

蛋为大型群居动物,它们喜欢在一个地方定居后不停地啃食这片土地上的资源。它们善于找寻土地深层的食物,因此蛋通常会对土壤造成极大的破坏,其所到之处寸草难生,这也练就了它们极强的生存和适应能力。它们可以连续多天禁食,只要有足够的水源补充体能即可。当大批蛋到达水源地后,会不遗余力地狂饮河水,此时水中的生物都会逃离,因为这意味着它们赖以生存的家园将遭到极大程度的破坏。

山海经动物图鉴

毛门 × 山海兽纲 × 食肉目 × 浣熊科 × 浣熊属

朏朏
[fěi]

朏朏
[fěi]

又北四十里,曰霍山,其木多榖。有兽焉,其状如狸,而白尾有鬣,名曰朏朏,养之可以已忧。
——《山海经·中山经》

| 朏朏进食图

| 栖息环境

《山海经·中山经》中的霍山地势平坦，河水流速缓慢。三三两两的仙鹤会将巢穴搭建于伫立在水中的榖树下，以此迎接崭新的生命。它们将"新房"搭建在水面上，虽然可以躲过野猪等掠食者的偷袭，却躲不过山中一种鬼灵精怪的动物——朏朏。

| 形态特征

朏朏通身为灰色，身上有圆圈形的花纹。"毛茸茸"是对它们的第一印象。头部两只竖立的耳朵便于它们依靠听觉判断猎物的位置，拥有夜视能力的双眼便于它们在黑暗中完成狩猎。但当朏朏遇到樱桃等酸甜食物时，便会将狩猎抛诸脑后。它们颈部有柔软的"胡须"，背部有较厚的鬃毛，身后有一条蓬松的白色尾巴。朏朏的手掌十分灵巧，前掌可以灵活地捕捉猎物，后掌可以大幅度旋转，这让朏朏在树上爬行时可以自由地调转方向。

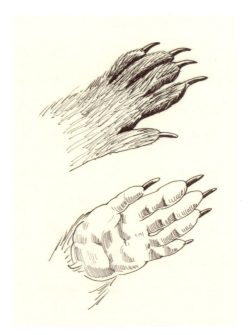

| 胐胐掌部细节图

| 生 活 习 性

胐胐时常出没在浅水中，它们依靠灵敏的触觉和视觉在水中寻找食物。雄性胐胐通常会三两只一起组成一个联盟，没有什么可以将它们的小团队拆散，包括求偶。

胐胐之间不会因为求偶而大打出手，它们仿佛更喜欢遵从"先来后到"的规矩。雄性不负责养育孩子，因此在交配过后小团体会继续踏上新的旅程，为团内其他成员寻找配偶。

雌性在受孕后会回到洞穴中不再外出，直到小胐胐的降临。幼崽会在两个月内一直生活在洞穴里，这时母亲负责外出觅食，分泌乳汁来哺育家中的孩子们。两个月后，新生的胐胐就会趁母亲外出时溜出洞穴，开始它们第一次的冒险旅程，直到4个月后它们具备了独自生存的能力，便会离开母亲独立生活。

山海经动物图鉴

化
[huà]

蛇
[shé]

毛门 × 山海兽纲 × 豸形目 × 类犬科 × 异面属

又西三百里,曰阳山,多石,无草木。阳水出焉,而北流注于伊水,其中多化蛇,其状如人面而豺身,鸟翼而蛇行,其音如叱呼,见则其邑大水。

——《山海经·中山经》

| 化蛇衔子图

| 栖息环境

在《山海经·中山经》中的阳山上，寸草不生，奇石繁多，阳水在此地发源。河水从山石的隙缝中流向北方，注入伊水。在清澈见底的河水中，生活着一种动物，名叫化蛇。

| 形态特征

化蛇长有人面，身形似豹。柔软的身体令它们可以在地面上悄无声息地匍匐前行。它们的四肢带有羽翼，但两对翅膀并非用于飞翔。比起陆地，化蛇更爱在水中潜行。化蛇进入水中后，四翼充当鱼鳍，令它们在水中可以自由"飞行"。

| 幼年化蛇图

| 生活习性

化蛇喜爱群居，一般7~8只在一起生活，最为强壮且狡猾的化蛇可担任首领。栖息地广泛，无论是陆地还是水中，都可以见到它们的身影。它们大部分时间都在水中以鱼类为食，常以围攻的方式进行捕猎，在水中几乎无人能敌。

骁勇善战的化蛇在面对子嗣时却变得格外温柔。化蛇"夫妻"会寻找其他"夫妇"，组建成一个小团体，在这期间几对化蛇会共同哺育幼蛇，直到它们可以独立生存。雌性化蛇的孕期为两个月，出生后的幼蛇没有视觉，呼吸系统也没有进化完全，因此不能适应水中的生活，只能在巢穴中享受母亲无微不至的照顾。此时的雄性要外出觅食，负责喂养家中的雌性及幼崽。

一个月后，幼蛇会逐渐张开眼睛拥有视觉，四肢的羽毛也在缓慢长出。待到羽翼成熟，化蛇已经具备了独立生存的能力，此时父母会将它们从集体中驱逐出去，强迫它们去感受这个充满挑战的世界。

山海经动物图鉴

毛门 × 山海兽纲 × 偶蹄目 × 猪科 × 猪属

蛮
[lóng]

蛭
[zhì]

又西二百里，曰昆吾之山，其上多赤铜。有兽焉，其状如彘而有角，其音如号，名曰蛮蛭，食之不眯。
——《山海经·中山经》

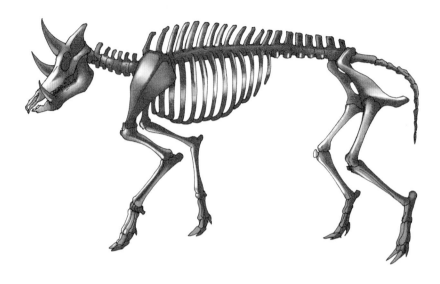

| 蚕蛭骨骼图

| 栖息环境

《山海经·中山经》的昆吾山中有大量的赤铜,用这里的铜锻造的刀剑锋利无比,远古时黄帝在征讨蚩尤时曾在此地排兵布阵。山中野兽成群,大多都很凶猛,蚕蛭依靠自己骇人的外表和惊人的攻击性在这座山中占据了一席之地。

| 形态特征

蚕蛭是这座山中的生存高手。它们长有两对尖锐的獠牙,会攻击一切自己认为是阻碍的东西,无论是动物还是植物。性格粗暴的蚕蛭甚至可以将参天大树连根撞翻。为了增强防御,抵御其他动物的攻击,它们的肩部长有盾牌般的皮毛,就连肉食动物的牙齿都很难咬穿它们的盔甲。雄性蚕蛭为了锻炼自己的能力,会用较长一段时间在树桩或者河床上摩擦,将自己的身体打造成一副铠甲。这种无坚不摧的能力让它们几乎没有天敌。

蚕蛭的皮毛在冬天具有较好的保暖性,让它们能够安然度过山中的冰天雪地。夏天,它们的鬃毛会逐渐脱落,以适应炎热的夏日。

| 蛮蛭头部细节图

| 生活习性

只有雌性蛮蛭会组成团体一起活动,而雄性只有在发情时才会进入蛮蛭群。如果两头雄性同时发现一个雌性团体,则需要用武力来赢得交配权。在这之前,它们会尽情地在泥浆中打滚,这是提高自我保护能力的一种措施。

蛮蛭的繁殖能力极强,怀孕半年时间就可孕育出新的生命,一窝蛮蛭可以达14只之多。从小就性情霸道的它们,会在幼儿时期就开始争夺领导权,幼崽中地位最高的可以优先选择母亲高营养值的乳头。

绘者简介

koko，毕业于清华大学美术学院，从事于广告传媒业多年。现为独立画家，与众多国际一线品牌进行跨界合作，举办过多次个人作品画展。

编者简介

赵涵宇，北京姑娘，北京联合大学历史文化遗产专业毕业，喜爱历史，热衷于神话研究。

选题策划：耕雲 FANTASEE　张国辰　陈胜伟